Polska

Kalendarz świąt

Poland

Calendar of Feasts

Kalendarz świąt

POLAND

Calendar of Feasts

tekst/text

Barbara Ogrodowska

Sport i Turystyka
MUZA SA

WSTĘP
FOREWORD

■ Święta obchodzone w cyklu rocznym i towarzyszące im rytuały, obrzędy i zwyczaje od najdawniejszych czasów odmierzały rytm ludzkiego życia. W przeszłości były podstawą rachuby czasu i najstarszych niepisanych, zwyczajowych kalendarzy, według których, zgodnie z cyklem przyrody i cyklem świątecznym, żyli ludzie na całym świecie, a więc także i nasi prasłowiańscy przodkowie.

Podstawą tych dawnych, tradycyjnych kalendarzy były zmieniające się pory roku. Pory roku i zjawiska zachodzące w przyrodzie, wyznaczały bowiem nie tylko najważniejsze prace i zajęcia gospodarskie, od których zależała ludzka egzystencja, ale również terminy najważniejszych świąt, obrzędów i uroczystości: kultowych, wegetacyjnych, zadusznych. To one właśnie (te najstarsze archaiczne uroczystości) są rodowodem naszej obrzędowości dorocznej i tradycji świątecznej.

Po przyjęciu chrześcijaństwa, w całej Europie wprowadzony został nowy, oficjalny kalendarz: opracowany przez uczonych zbiór prawideł dotyczących podziału i rachuby czasu, którego podstawą stał się starożytny kalendarz rzymski, tzw. juliański (poprawiony w czasach Juliusza Cezara w 46 roku), w którym rok liczący 365 lub 366 dni rozpoczyna się 1 stycznia, dzieli się na 12 miesięcy i 52 tygodnie.

Kalendarzem tym (który nałożony został na tradycyjne, zwyczajowe kalendarze), zreformowanym przez papieża Grzegorza XIII w 1582 roku, i od imienia swego reformatora nazwanym gregoriańskim, posługujemy się do tej pory. Ujęte w nim zostały wszystkie najważniejsze święta chrześcijańskie i imiona świętych patronów, a w ostatnich stuleciach także ważne rocznice i święta państwowe. Świętom tym, zapisanym

■ Feasts and festivals throughout the year, accompanied by their special rituals, ceremonies and customs, have measured the rhythm of human life since time immemorial. In the past they formed the basis for measuring time and for the oldest oral customary calendars, with the help of which people around the whole world, including our Proto-Slavic ancestors, lived in accordance with the cycles of nature and cult celebrations.

The traditional ancient calendars were based on the changing seasons of the year. Those, along with natural phenomena, not only set the calendar of major works in the field and household on which human existence depended, but also mapped out the time of the most important feasts, rites and celebrations connected with cults, vegetation cycles and the afterlife. The oldest archaic celebrations are the origins of our annual celebrations and church feast tradition.

When Christianity had been adopted all over Europe, a new official calendar was introduced. It was a set of rules related to the division and counting of time, worked out by scholars, based on the ancient Roman calendar known as the Julian calendar (corrected during the reign of Julius Cesar in 46 BC), which introduced a year of 365 or 366 days, starting from January 1, divided into 12 months and 52 weeks.

This calendar, superimposed on the existing traditional, customary calendars, reformed by Pope Gregory XIII in 1582 and called Gregorian to honour his name, has been used till the present day.

The calendar includes all the major Christian holidays, days of patron saints, and in recent centuries also important

■ *Wigilia w chacie wiejskiej, „Kłosy", 1878 r.*

■ *Christmas Eve in a Village Cottage in the "Kłosy," 1878*

nie tylko na kartach kalendarza, ale także w naszej świadomości i pamięci, towarzyszą również liczne i różnorodne zwyczaje i obrzędy o bardzo starych korzeniach: domowe, gospodarskie, towarzyskie, zwyczaje grup rówieśniczych, zabawy, pieśni, biesiady, ciekawe akcesoria.

W tradycji najważniejszych polskich świąt dorocznych, takich jak Boże Narodzenie, Wielkanoc, Zielone Świątki, Zaduszki i in., po dzień dzisiejszy zachowały się ślady odwiecznych uroczystości rolniczych, hodowlanych, świąt urodzaju, świąt poświęconych pamięci zmarłych przodków, świąt miłości i płodności, które w przeszłości obchodzone były jako święta zimowe, wiosenne, letnie, jesienne, ponieważ powiązane były zawsze z kolejnymi zmieniającymi się porami roku.

Pod wpływem wszystkich tych przenikających się wzajemnie tradycji ukształtował się niepowtarzalny, piękny i bogaty, oryginalny polski obyczaj świąteczny, polski rok i kalendarz obrzędowy. O nim to właśnie, o polskich świętach i obrzędach dorocznych, o polskich obyczajach i tradycjach świątecznych, zwłaszcza tych, które przetrwały do naszych czasów, opowiada ta książka.

Opisane święta, zwyczaje i obrzędy doroczne towarzyszą nam już od wieków, i chociaż zmieniały się w czasie, są ciągle świadectwem siły i ciągłości najpiękniejszych polskich tradycji. Są znakiem naszej tożsamości i więzi łączącej pokolenia. Są cząstką naszego dziedzictwa, które warto ocalić od zapomnienia.

state holidays and anniversaries. All these occasions, well imprinted both in the calendar pages and in people's minds, are accompanied by a great variety of numerous customs and rites with ancient roots, which reflect domestic and social rites, peer group habits, dancing and singing, revelries and interesting accessories.

The traditions connected with the most important Polish annual festivals, such as Christmas, Easter, Pentecost, All Souls' Day and other holidays, have preserved in them the traces of age-old rural festivities connected with farming, harvesting, commemorating deceased ancestors, as well as love and fertility rituals. They used to be celebrated in winter, spring, summer or autumn, having been always connected with the changing successive seasons of the year.

All these traditions, which constantly permeated one another, have formed the most beautiful and unique, rich and original Polish festival and ceremony year. The calendar of Polish festivals and celebrations, especially the ones that have survived to our days, is the subject of this book.

The festivals, customs and rites described here have accompanied us for centuries. Although they have been changing in the course of time, they still remain a testimony to the power and continuity of the finest Polish traditions. They signify our identity and the bonds between generations. They are a part of our heritage, which deserves to be saved from oblivion.

■ *Pocztówka wielkanocna. Mal. A. Setkowicz, 1932 r.*

■ *An Easter card; painted by A. Setkowicz, 1932*

ZIMA
WINTER.

21 XII–20 III

■ „Na pasterkę", autor nieznany, pocztówka z lat międzywojennych ■ "To Pasterka Mass;" author unknown, a card from prewar time

BOŻE NARODZENIE
CHRISTMAS

■ Boże Narodzenie po staropolsku zwane Godami lub Godnimi Świętami, wielkie święto Kościoła, ustanowione w IV wieku, po raz pierwszy odnotowane zostało w rzymskim kalendarzu świątecznym w 354 roku. Z tego samego okresu, z drugiej połowy IV wieku pochodzi, malowidło znajdujące się w katakumbach rzymskich przedstawiające (prawdopodobnie) Świętą Rodzinę, pierwsze hymny o Bożym Narodzeniu oraz marmurowe płaskorzeźby sarkofagowe, przedstawiające Dzieciątko Jezus i towarzyszące mu zwierzęta wołu i osła, umieszczane na grobowcach rzymskich patrycjuszy chrześcijan. Święto Narodzenia – Bożego Narodzenia, w dniu 25 grudnia, stanowić miało przeciwwagę dla obchodzonych w tym terminie (w czas zimowego przesilenia słońca) pogańskich uroczystości solarnych, a zwłaszcza obchodzonego na Bliskim Wschodzie i w Rzymie wielkiego święta (ku czci staroirańskiego boga Mitry – syna słońca) zwanego Dies Natalis Solis Invicti – Dzień Narodzin Niezwyciężonego Słońca. Ojcowie Kościoła uznali zatem ten dzień za najwłaściwszy dla obchodów narodzenia Chrystusa, ponieważ symbolika narodzin Słońca i światła oraz narodzin Jezusa Chrystusa – Syna Bożego, który w Biblii nazywany jest także Światłością Świata i Słońcem Sprawiedliwości, mogły się łatwo zespolić. W ten sposób odwieczne święta utrwalone w świadomości ludzkiej przez tradycje i obyczaj, związane zostały z terminarzem świąt i uroczystości religijnych i otrzymały nową chrześcijańską interpretację.

Dopiero dwa wieki później do liturgii obchodów Bożego Narodzenia dodano Wigilię (łac. *vigilia, vigiliare* = czuwanie, straż nocna, warta) – czyli przedświęcie z obowiązującym postem, modłami, czuwaniem i oczekiwaniem na święto.

■ The Christmas holiday, in the Old-Polish language called the *Gody*, meaning "festive time", was established in the 4th century as a major church holiday and it was first mentioned in the Roman festival calendar for the year 354. The painting in the Catacombs of Rome, most probably showing the Holy Family, the first hymns on Christmas and the marble bas-reliefs on the sarcophagi in the tombs of Roman patricians, depicting Infant Jesus and the animals that accompanied Him, an ox and a donkey, all date from the same period: the second half of the 4th century. The feast of the Lord's Nativity on 25 December was meant to counterweight the pagan solar celebrations taking place on the same date – the winter solstice. It concerned in particular the great worship to the Old-Iranian deity called Mithra, son of the sun, known as *Dies Natalis Solis Invicti* (Nativity Day of the Invincible Sun), observed in the Middle East and in Rome. The church fathers considered that date as the most appropriate for the celebration of Christ's Nativity, as the symbolism of the birth of the sun and light could be easily merged with the birth of Jesus Christ, the Son of God, who in the Bible is referred to as the Light of the World and the Sun of Justice. In this way some old feasts, well-established in human awareness by means of tradition and custom, were interwoven in the calendar of religious festivities and obtained a new, Christian interpretation.

It was not until two centuries later that the Vigil was added to the liturgy of Christmas (*vigiliare* means "to stand night guard" in Latin). Known as Christmas Eve, it is a fasting day, which should be spent on prayers, vigil and waiting for the feast to come.

■ *Ozdoba choinkowa*

■ *A Christmas tree ornament*

■ Wigilia – 24 grudnia

W polskich obchodach Bożego Narodzenia najważniejsza jest Wigilia. Obchodzona w porze zimowego przesilenia, wyznacza początek roku słonecznego, wegetacyjnego – gospodarskiego, a w ludowej tradycji również roku i kalendarza obrzędowego, ma więc swoją własną, bogatą obrzędowość.

W polskiej tradycji jest to najpiękniejszy dzień i święto całego roku, dzień wielkich przeżyć, z niecierpliwością oczekiwany przez dorosłych, a zwłaszcza przez dzieci. Dzień, z którym wiążą się piękne zwyczaje i ceremonie. Wigilię i święto Bożego

■ Christmas Eve – 24 December

Christmas Eve is the most important day of Christmas time celebrations. Falling on the winter solstice, it marks the beginning of solar year, the annual vegetation cycle in farming, and also the calendar of rites in the folk tradition. It is rife with its own ritual.

In Polish tradition it is regarded the most beautiful holiday of the year, a day of high spirit, awaited impatiently by adults and children alike, filled with refined customs and cer-emonies. Christmas Eve and Christmas Day are pre-

■ *Świąteczny stół w Restauracji Polskiej „Tradycja", Warszawa, ul. Belwederska 18a*

■ *A Christmas table at the "Tradycja" Polish restaurant, Warsaw, 18a Belwederska St.*

Narodzenia poprzedzają rozliczne, długotrwałe, emocjonujące przygotowania. Zgodnie z tradycją i przyjętym obyczajem, trzeba zrobić świąteczne zakupy, wysłać do bliskich, a nieobecnych kartki i listy z życzeniami, postarać się o opłatek (konieczny na polskim wigilijnym stole), o choinkę i ozdoby choinkowe, o gwiazdkowe prezenty; trzeba zrobić generalne porządki, posprzątać i przyozdobić domy i wreszcie – przyrządzić liczne, specjalne, wigilijne i świąteczne potrawy. Wszystkim tym zajęciom oddajemy się bardzo gorliwie, bo same w sobie są radością i początkiem niezwykłych, świątecznych przeżyć.

Niegdyś bardzo wcześnie rano w dzień Wigilii mężczyźni udawali się na połowy i polowania. Wierzono bowiem, że w tym właśnie dniu na pewno powrócą do domu ze zwierzyną i sieciami pełnymi ryb. Wróżyło to im także udane polowania i obfite połowy w ciągu całego roku.

Powszechnie wierzono, że Wigilię należy przeżyć w zgodzie, spokoju, dobrym, pogodnym nastroju, bez gniewu, kłótni i sporów, mieć dla każdego dobre słowo, uśmiech, aby tak samo upływał cały nadchodzący rok. Powiadano: jaka Wigilia taki cały rok.

ceded by countless longlasting and exciting preparations. According to tradition and the accepted custom, Christmas shopping has to be done, cards and letters with Christmas wishes must be sent to all friends and relatives, one has to buy some thin Christmas Eve wafer needed on every Polish table, a Christmas tree and decorations, and Christ-mas presents. Every house is cleaned well, put in order and decorated. Finally, numerous special Christmas Eve dishes are cooked. All these activities are followed with enthusiasm and joy, for they are a prelude to the magic experience of Christmas.

In the past, early in the morning on Chrismas Eve men went fishing and hunting, as it was believed they would return home with lots of game and fish on that day, which also portended big catch -es and takes throughout the whole year.

It was commonly thought the Vigil day should be spent in peace and harmony, good and joyful atmosphere, without any quarrels or fights. One should have fair words and smile to everyone in order to make the whole coming year like this. They said: like Christmas Eve like the whole year.

■ *Anioł przy choince w lesie, pocztówka*

■ *An angel and Christmas tree in a forest; a postcard*

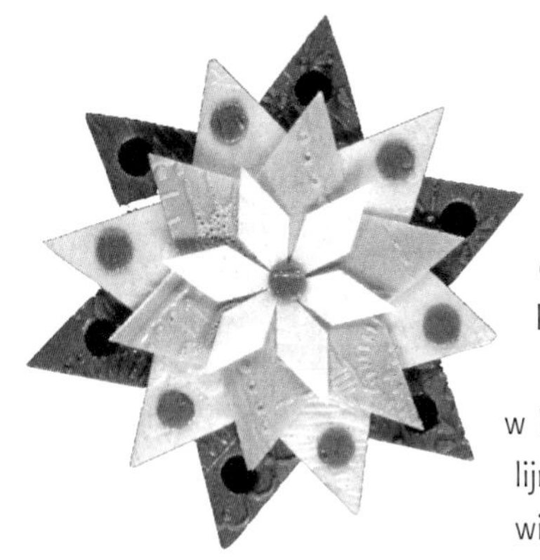

W obchodach Bożego Narodzenia ważną rolę odgrywał zawsze świąteczny, okolicznościowy przystrój mieszkania, a zwłaszcza pokoju, w którym miała się odbyć wigilijna wieczerza, a także przystrój wigilijnego stołu.

Najbardziej znanym i charakterystycznym polskim przystrojem świątecznym w miastach i na wsi, w chatach chłopskich i na szlacheckich dworach, a nawet w magnackich rezydencjach była niegdyś słoma, najczęściej w snopach, które ustawiano w kątach izby jadalnej.

Na stole grubą warstwą kładło się siano. Na nim dopiero rozpościerano obrus lub cienką białą, lnianą płachtę, potem – na środku stołu – sypano ziarna zbóż i kładziono cały, nienapoczęty bochenek chleba.

W niektórych regionach Polski (na ziemi sądeckiej i rzeszowskiej) rozpościerano słomę na całej podłodze, zaś małe jej snopki i ciasno związane wiązki siana oraz woreczki z ziarnem umieszczano pod stołem. Pod wigilijny stół kładziono także żelazo najczęściej był to lemiesz od pługa („od uroku" i oby szkodniki „nie psuły" roli), a cały stół obwiązywano sznurem lub łańcuchem (aby chleb „trzymał się domu") – na dobry urodzaj i dostatek żywności w całym nadchodzącym roku.

W tej samej intencji, po wieczerzy rzucano wysoko pod sufit pasma słomy (wyciągnięte ze snopków), tak aby zaczepiły się o belki stropowe, a zboże wyrosło wysokie i kłośne. Ta znana w całej Polsce praktyka nazywana była „ciskaniem kop".

Ze słomy snopków skręcano powrósełka i obwiązywano nimi drzewa owocowe w sadzie na dobry urodzaj owoców.

Słoma i siano w domu, w dniu Wigilii, miały przypominać także o tym, że Najświętsza Maria Panna rodziła swego Syna – Zbawiciela w pustej stajni, na wiązce słomy, a narodzone Dzieciątko położone zostało w żłobie, na sianie. Obecne przy tym bydlęta, wół i osioł, przyklękły i ogrzewały je swoim oddechem.

Special Christmas decorations in the house have always played a major role in Christmas celebrations. Of uttermost importance was the room where the evening meal would be eaten and the decoration of the table.

The most characteristic traditional Polish decoration in cities and villages alike, in peasant cottages, manor houses of the nobility and even in magnates' mansions in the past was straw, usually placed in sheaves in the corners of the dining room.

The table was covered with a thick layer of hay, upon which table linen was spread, always white. Then some cereal grains were sprinkled in the middle of the table and a whole, uncut loaf of bread was put there.

In some regions of Poland (the Sącz and Rzeszów lands) straw was spread all over the floor and small sheaves along with tightly bound wisps of hay and sacks of grain were plac-ed under the table. A piece of iron was also put there, usually a ploughshare, to protect from spell and from vermin destroying crops. The whole table was tied round with a rope or chain to secure good crops and plenty of food in the year to come, so that bread would "stay in the house".

After the supper, strands of straw pulled from the sheaves were tossed up high to the ceiling to stick to ceiling joists. This ritual, practiced all over Poland, guaranteed that crops would grow high and develop large ears.

The remaining straw was twisted into binders to be tied up around fruit trees in the orchard and thus ensure a rich fruit harvest.

Straw and hay in homes on Christmas Eve were to remind that the Holy Virgin Mary gave birth to her Son the Saviour in an empty stable on a bundle of straw and the Newborn was placed on hay in a manger. The livestock present there, an ox and a donkey, kneeled down to worm up the Infant with their own breath.

■ *Gwiazda z opłatka. Wykonała Czesława Rowicka*
■ *Aniołki z choinką, pocztówka z połowy XX wieku*

■ *A star made of Christmas wafer; by Czesława Rowicka*
■ *Angels with a Christmas tree; a card from the mid-20th century*

Stary zwyczaj w tym mają chrześcijańskie domy,
Na Boże Narodzenie po izbach słać słomy
Że w stajni Święta Panna leżała połogiem.
(Wacław Potocki, XVI wiek)

Także w obecnych czasach jeszcze w wielu domach w imię tradycji kładzie się na stole wigilijnym małe pasemko siana.

Wyłącznie polskim przystrojem wnętrz mieszkalnych w okresie Bożego Narodzenia, nieznanym poza naszym krajem, były niegdyś ozdoby z opłatka.

Jeszcze na początku XX wieku ozdoby takie występowały powszechnie prawie na całym obszarze Polski, z wyjątkiem regionów północnych i płnocno-zachodnich. Wycinano je z resztek opłatków przeznaczonych na wigilijny stół i sklejano śliną w delikatne, lekkie, kompozycje: misterne ażurowe gwiazdy i formy przestrzenne, najczęściej kule zwane *wilijkami* lub *światami*. Wieszano je na belkach stropowych nad ołtarzykiem domowym, nad wigilijnym stołem, a także (głównie „światy") na podłaźniczkach i pierwszych choinkach.

Opłatkowe gwiazdy i „światy" wieszano w mieszkaniach (na końskim włosiu lub na cienkich niciach) nie tylko dla ozdoby, ale przede wszystkim po to, aby chroniły domostwo,

- *Pocztówka świąteczna z lat międzywojennych*
- *Gwiazda z opłatka. Wykonał Józef Gawor, Liw k. Siedlec, 1972 r.*

An old habit it is in Christian homes
To spread straw at Christmas in their rooms
Since the Holy Virgin gave birth in a stable.
(Wacław Potocki, 16th century)

Even today in many houses the tradition of putting a small wisp of hay on Christmas Eve table is still observed.

Decorating house interiors with Christmas Eve wafer at Christmas time was once a typically Polish habit, unknown outside our country.

At the beginning of the 20th century such decorations were still in common use in almost the whole territory of Poland, except the northern and northwestern regions. They were cut from the remainders of wafers made for the Christmas Eve table. Glued with saliva, they were transformed into delicate, light compositions: subtle openwork stars and other spatial forms such as spherical Chrismas Eve globes. They were hung on ceiling joists above domestic altars, over the table and (the globes in particular) on an evergreen bough under the ceiling and on the first Christmas trees.

Stars and globes from Christmas Eve wafer were hung inside homes on horsehair or thin thread not only to

- *A Christmas card from before the last war*
- *A star made of Christmas wafer; by Józef Gawor from Liw near Siedlce, 1972*

ludzi i cały dobytek od wszelkiego zła, od chorób i nieszczęść i aby sprowadzały na dom błogosławieństwo boże, dostatek, spokój i zapewniały domownikom zgodę, miłość wzajemną i rodzinną harmonię.

Od najdawniejszych czasów charakterystycznym przystrojem świątecznym, w okresie Bożego Narodzenia były gałęzie drzew iglastych: świerku, sosny, jodły, modrzewia, tzw. zimozielone lub inaczej wszechżywe. Stosowano je powszechnie w świątecznej dekoracji wnętrza w Polsce i w wielu innych krajach Europy w czasach, kiedy jeszcze nie znano choinek – drzewek świątecznych. Te, jak mówiono, gałązki wiecznie zielone – przybijano do ścian domów, zatykano za ramy świętych obrazów, wieszano na wrotach stodół, stajni i obór.

Od wieków bowiem zielona gałąź była symbolem życia, sił witalnych, szczęścia, także symbolem pomyślnej wegetacji roślin, odradzających się po zimowej, pozornej

ornament but also and above all to protect the household, its inhabitants and their property from any evil, disease and bad luck, while attracting God's blessing, wealth and peace to the home and mutual love, accord and family harmony to its dwellers.

From time immemorial, branches of conifers such as spruce, pine, fir, larch, known as evergreens, were the most typical holiday decorations during Christmas time. They were commonly used for festive interior decoration in Poland and many other countries of Europe at the time Christmas tree was not yet known. Those evergreen boughs were fastened to house walls, inserted behind frames of holy pictures, hung on barn, stable and cowshed gates.

A green bough has been for many centuries a symbol of life, vital force, happiness, as well as successful vegetation of plants reviving after their quasi-death in winter. Various beneficial, live-giving proper-

- *Ozdoba choinkowa, anioł*
- *Sprzedaż choinek na Rynku w Krakowie. Mal. S. Tondos, pocztówka*

- *Christmas decoration: an angel*
- *A sale of Christmas trees in Cracow Market Square; painted by S. Tondos, a card.*

śmierci. Przypisywano jej różne dobroczynne, życiodajne właściwości. Występowała więc w wielu (zwłaszcza ludowych) praktykach obrzędowych.

Do niedawna na wsi zieloną gałązką odłamaną z jodły, świerka lub sosny kropiono izbę i stół wigilijny, a po wieczerzy także bydło w oborach, gładzono nią boki i grzbiety krów, aby hodowały się zdrowo, ludziom na pożytek i dawały dużo mleka.

Na ziemi krakowskiej i lubelskiej, w okolicach Rzeszowa, Jarosławia i Sandomierza, na Podhalu, ziemi sądeckiej, a także na Śląsku Cieszyńskim występowała jeszcze inna, charakterystyczna dla tych terenów ozdoba świąteczna z zielonych gałęzi i słomy zwana podłaźnikiem, podłaźniczką, jutką, sadem rajskim lub bożym drzewkiem.

Nad stołem wigilijnym wieszano tam podłaźnik – gałąź sosnową, czubek świerku lub jodły, także obręcze – druciane lub łubiane koła (np. z nieużywanego już przetaka) albo uplecione ze słomy tarcze, przybrane jedliną, obwieszone orzechami, jabłkami, ciasteczkami i przede wszystkim wycinankami z kolorowego opłatka oraz dużym kolorowym światem z opłatków.

Podłaźniki były nie tylko ozdobą mieszkania w wieczór wigilijny. Wierzono, że przynoszą domowi i jego mieszkańcom

ties were attributed to it, so it was present in many rites and ceremonies, especially in folk tradition.

Until recent times in the countryside, a table readied for Christmas Eve supper and the room were sprinkled with a green bough of fir, spruce or pine and after the meal the same was done to domestic cattle. Cows' backs and sides were stroked with it to ensure they would be bred healthy and useful for people, and yield plenty of milk.

Another typical Christmas ornament called *podłaźniczka* (upcreeper), *jutka*, *sad* (orchard) and God's or paradise tree, made of evergreen boughs and straw, was used in the Cracow and Lublin regions, the environs of Rzeszów, Jarosław and Sandomierz, the Podhale region, Sącz Land and Cieszyn Silesia.

Hung over Christmas Eve table, it could be a pine branch, a spruce or fir top, circles of wire or bast frames of old unused sieves or wheels woven from straw, decorated with fir boughs, as well as walnuts, apples and cookies hanging from it, but most of all with cutouts from coloured thin wafer and a big, colourful wafer globe.

Upcreepers not only decorated the house on a Christmas Eve night. They were believed to bring many good things to

■ *Pocztówka z lat 20. XX wieku*
■ *„Podłaźniczka". Wykonała Ludwika Głuc, Podegrodzie k. Nowego Sącza*

■ *A postcard from the 1920s*
■ *An "upcreeper;" by Ludwika Głuc, Podegrodzie near Nowy Sącz*

różne dobrodziejstwa: chronią przed chorobami i złym urokiem, że przynoszą dobrobyt, zapewniają zgodę w rodzinie, a dziewczętom na wydaniu powodzenie w miłości i szczęśliwe zamążpójście.

Obecnie we wszystkich domach króluje pięknie przystrojona choinka, bez której trudno wyobrazić sobie święta Bożego Narodzenia. Aż trudno uwierzyć, że jest to jedna z najmłodszych tradycji i ozdób świątecznych.

Pierwsze choinki pojawiły się w Polsce w XIX wieku, i to głównie w miastach, w domach Niemców i ewangelików pochodzenia niemieckiego (w Warszawie w 1830 roku opisywano je jako obyczaj Prusaków). Nieco później, także pod wpływem niemieckim, zawędrowały na Śląsk, Pomorze oraz Warmię i Mazury.

Stopniowo zwyczaj ustawiania w domu świątecznego drzewka przyjął się w całej Polsce.

Pierwsze choinki ubierano różnymi łakociami: orzechami, czerwonymi jabłkami, piernikami i ciastkami, cukierkami w kolorowych papierkach, a w bogatszych domach misternymi papierowymi siatkami i koszyczkami wypełnionymi bakaliami: rodzynkami, migdałami, figami, daktylami oraz – rzadkimi przysmakami – ozdobami z marcepana, a także świeczkami. Wszystkie smakołyki wiszące na choince można było zdejmować z drzewka i raczyć się nimi, co skwapliwie czyniły dzieci.

Z czasem na choinkach przybywało innych ozdób domowej roboty. Najpierw były to „cacka" wykonane własnoręcznie z barwnego, glansowanego papieru i kolorowej, gładkiej i karbowanej bibułki, ze słomki, piórek, wydmuszek jaj. Były to długie łańcuchy, rozmaite wisiorki, pająćzki, gwiazdki, aniołki i baletniczki. Później pojawiały się ozdoby wykonane fabrycznie. W okresie przedświątecznym sprzedawano je w dużym wyborze w sklepach, głównie szklane bombki i elektryczne lampki, w różnych kolorach i kształtach.

the house and its inhabitants, to protect from illness and bad spell, to bring wealth, ensure harmony in family and a successful love and happy marriage to young maidens.

Nowadays, a finely ornamented Christmas tree decorates every house and flat. You can hardly imagine Christmas without it, although it is one of the youngest traditions of festive decoration, as unbelievable as it is.

The first Christmas trees appeared in Poland in the 19th century, mostly in cities, in the homes of German settlers and Protestants of German descent. In Warsaw it was described in 1830 as a Prussian custom. Somewhat later, also under German influence, such trees became known in Silesia, Pomerania, Warmia and Mazuria. Gradually, the custom of putting up a Christmas tree was adopted in the whole country.

The first Christmas trees were decorated with such delicacies as walnuts, red apples, gingerbread and other cookies, sweets in colourful wrappers and in better-off houses, delicate paper bags and baskets filled with raisins, almonds, figs and dates, as well as rare delicacies – marzipan ornaments, and candles. All the titbits hanging on a tree could be taken down and consumed, which was eagerly done by children.

In the course of time, more and more homemade decorations adorned Christmas trees. Initially they included real gems, made by hand from glossy colour paper and coloured tissue and crepe paper, straw, feathers and emptied egg shells. They were long chains, all kinds of pendants, spiders, stars, angels and ballet dancers. Later on, ready-made Christmas decorations came into use. A wide choice of them were sold before Christmas: chiefly glass balls and electric lights, produced in a variety of colours and shapes.

■ *Strona 16: Ozdoby choinkowe*

■ *„Marzenie dzieciny". Mal. T. Okoń, pocztówka przedwojenna*

■ *Page 16: A Christmas tree ornaments*

■ *"A Child's Dream;" painted by T. Okoń, a prewar card*

✳✳✳✳

Zgodnie z tradycją i obyczajem, wszystkie przygotowania powinny zakończyć wraz z zapadnięciem zmroku i pojawieniem się na niebie pierwszej gwiazdy.

Zgodnie z polską tradycją, pierwsza jasna gwiazda ukazująca się na zimowym niebie w Wigilię Bożego Narodzenia jest sygnałem, że czas na wieczerzę wigilijną, która w zależności od regionu nazywana bywa wigilią, wilią, postnikiem, pośnikiem, obiadem, bożym obiadem, a na wschodnich terenach kutią, kucią (od głównej jadanej w tym regionie potrawy wigilijnej).

Wieczerza ta jest dotychczas najważniejszym momentem domowych świątecznych obchodów Bożego Narodzenia. Każdego więc roku w Wigilię Bożego Narodzenia, o zmierzchu, pustoszeją ulice w całej Polsce. W wielkich miastach na kilka godzin zamiera nawet ruch uliczny, a wszyscy w uroczystym nastroju gromadzą się przy stole z opłatkiem w ręku, aby się nim podzielić, uściskać i złożyć sobie życzenia.

Ceremonia łamania i dzielenia się opłatkiem, znak pojednania, pokoju, miłości i braterstwa, poprzedza polską wieczerzę wigilijną i nadaje jej niezwykły, sakralny niemal charakter.

■ *Wigilia. Mal. B. Rychter-Janowska, pocztówka, 1935 r.*
■ *Przy choince. Mal. S. Batowski, pocztówka, 1933 r.*

✳✳✳✳

According to tradition and customs, all these preparations should be completed before dusk falls and the first star is visible in the night sky. When the first star twinkles in the winter sky on Christmas Eve, all Poles take it as a signal they can start the evening meal. It is called *wigilia* or *wilia*, and also a fasting meal, dinner or God's dinner - depending on the region. In eastern Poland it may be called *kutia*, from a dish of this name served there on Christmas Eve.

This evening meal has been always the most important point of Christmas celebrations in Polish homes. Every year on Christmas Eve at dusk streets become deserted throughout the country. Even big city traffic dies away for several hours, while people gather at the table in high spirits to share Christmas Eve wafer with others, hug them and pass them their best wishes.

The ceremony of breaking off pieces of wafer and sharing them with all others, signifying reconciliation and peace, love and fraternity, precedes Polish Christmas Eve evening meal and gives it that unusual, sacred dimension.

The tradition itself relates to old Christian rites of bread sharing and distributing, known as eulogiae, from

■ *Christmas Eve; painted by B. Rychter-Janowska, a card from 1935*
■ *Christmas Tree; painted by S. Batowski, a card from 1933*

Obyczaj ten nawiązuje do starochrześcijańskich rytuałów dzielenia i rozdawania chlebów zwanych eulogiami. Były to niekonsekrowane małe chleby i płytki chlebowe, które nie zostały użyte w misteriach religijnych Eucharystii.

W pierwszych wiekach chrześcijaństwa chleby te (eulogie) wymieniały między sobą zakony i bractwa religijne. Rozdawano je także wiernym, aby w okresie Bożego Narodzenia łamali je i spożywali na znak braterstwa i przynależności do wspólnoty chrześcijańskiej.

unconsecrated small loafs and flat breads left from the religious liturgy of the Holy Eucharist.

In the first centuries of Christianity those breads were exchanged between orders and religious fraternities. They were also given out to the faithful, so they could break them off and eat as a gesture of fraternity and belonging to the Christian community.

In the Middle Ages (around the 9th century) that sacrificial bread was replaced by other kind of liturgical bread, more

■ *Łamanie się opłatkiem. Mal. W. Boratyński, pocztówka*

■ *Sharing Christmas Wafer; painted by W. Boratyński, a card*

W wiekach średnich (około IX wieku) chleby ofiarne zastąpione zostały innym rodzajem pieczywa obrzędowego, zbliżonego do znanych nam dzisiaj opłatków, pieczonego z mąki pszennej i czystej wody, w metalowych, prostokątnych formach z długim imadłem i wygrawerowanymi wewnątrz symbolami religijnymi, scenami z życia Chrystusa i Świętej Rodziny. Wciąż wyrobem opłatków, zarówno mszalnych, jak i świątecznych, używanych w obrzędach domowych, trudnią się niektóre bractwa zakonne. W Polsce np. zakon ss. sakramentek. Prócz tego opłatki piecze się w licznych, znajdujących się w całej Polsce, wyspecjalizowanych w tej sztuce piekarniach rzemieślniczych.

Po dzień dzisiejszy w okresie przedświątecznym, można się zaopatrzyć w opłatek w każdym kościele. Czasem przynoszą je do domów organiści lub kościelni jako dar chrześcijański. W dzień Wigilii nie może zabraknąć opłatków w żadnym polskim domu.

W wielu domach kawałek opłatka kładzie się na pustym, dodatkowym talerzu, pozostawionym na stole dla niespodziewanego gościa lub bezdomnego, którego zgodnie z tradycją należy w tym dniu przyjąć, zaprosić do stołu i jak najlepiej ugościć.

like the present-day wafers. It was made of wheat flour and pure water and baked in rectangular metal baking tins with a long holder. Inside the tin, religious symbols and scenes from the life of Jesus and the Holy Family were engraved. Some of the monastic confraternities have been till this day occupied with the manufacture of wafers, both Eucharistic and those used on Christmas Eve, in Poland for example the Sisters of the Blessed Sacraments. Apart from that, wafers are baked in numerous small bakeries all over Poland, specializing in this art.

Long before each Christmas you may buy Christmas wafer at every Polish church. Sometimes it is delivered straight home by a sacristan or church organist as a Christian gift. No household in Poland should lack wafers on the day of Christmas Eve.

In many houses a piece of wafer is placed on an empty spare plate, left ready on the table for any unexpected visitor or homeless person, who on that special day must be invited and cordially treated to the food.

Some believe this plate and food is a for a guest from the other world, since on this single night by the grace of God

- *Figurka szopkowa*
- *Dzieci góralskie wiozą na saneczkach opłatek. Mal. G. Ostoja, pocztówka*

- *A figure from a Christmas crib*
- *Highlander children carry Christmas wafer on sledge; a card painted by G. Ostoja*

Niektórzy tłumaczą, że jest to nakrycie i pokarm dla gościa z zaświatów, dla dusz zmarłych, które w tę jedną, jedyną noc w roku mogą z łaski Bożej, odwiedzać swoje domy, aby wraz z rodziną dostąpić radości Bożego Narodzenia.

Dopiero po tej ceremonii, można zasiąść do stołu i próbować wszystkich po kolei potraw. W Wigilię przez cały dzień obowiązywał post ścisły. Postne były więc także potrawy wigilijne, a ich rodzaj i liczbę określał przechodzący z pokolenia na pokolenie obyczaj regionalny i rodzinny. Również obecnie podaje się na wigilijną wieczerzę dwanaście potraw, bo tylu było apostołów, uczniów Jezusa i tyle jest miesięcy w roku. Równie często na Wigilię przygotowuje się nieparzystą – rzekomo szczęśliwą – liczbę potraw. Nikt tych potraw skrupulatnie nie liczył. Im więcej ich było na stole, tym większych dostatków można się było spodziewać w nadchodzącym roku.

Rodzaj potraw i produkty, z jakich się je przyrządza, wskazują na związki Wigilii (także dzisiejszej) z odległymi w czasie, archaicznymi obrzędami rolniczymi, a także z obrzędami ku

■ *„Z opłatkiem". Mal. A. Setkowicz, pocztówki z lat 30. XX wieku*

the souls of deceased people are allowed to visit their houses and enjoy Christmas together with their families.

After the wafer ceremony, you can sit at the table and try each of the dishes in turn. The whole Christmas Eve day used to be observed as a fast day. Also the evening meal consisted of meatless dishes, their types and number depending by regional and family custom passed from generation to generation. For instance, the twelve dishes served on a Christmas Eve supper mark the number of the apostles – disciples of Jesus and the number of months in a year. Often the number of dishes at this meal is odd, for it is considered to be lucky. As a matter of fact no one had ever counted the number of dishes too scrupulously. The more of them were put on the table, the more wealthy the year to come was expected to be.

The kind of dishes and the ingredients used to cook them indicate the connection of the *wigilia* feast (also the present-day one) with some ancient, archaic farming rituals as well as with ancestor worship rites observed by the Slavs on their

■ *"Bringing Wafer;" cards from the 1930s, painted by A. Setkowicz*

■ *Kolęda dla ubogich. Rys. F. Streitt „Kłosy", 1881 r.*
■ *Figurka szopkowa, pasterz, pocz. XX wieku*

■ *Carols for the Poor; drawing by F. Streitt in the "Kłosy," 1881*
■ *A shepherd figure from a Christmas crib; the early 20th century*

czci zmarłych, które przed przyjęciem chrześcijaństwa odbywały się na ziemiach Słowian, a więc także i na naszych ziemiach w okresie zimowego przesilenia słońca.

Zgodnie z tradycją, Wigilia powinna się składać z wszystkiego co w polu, sadzie, wodzie, lesie i ogrodzie, a więc z płodów ziemi, głównie z potraw zbożowych (z mąki i kaszy), z jarzyn (głównie kapusty i grochu), owoców i grzybów suszonych oraz miodu. Później wprowadzono do niej również ryby. Dania rybne, uznawane przez Kościół za postne, z czasem bardzo się rozpowszechniły i obecnie stanowią podstawę wigilijnego jadłospisu we wszystkich prawie regionach Polski, w miastach i na wsi.

W jadłospisie wigilijnym nie brakuje potraw niegdyś uznawanych za żałobne, które w przeszłości zanoszono w ofierze na groby zmarłych i które spożywano podczas uczt zadusznych. W skład takiego żałobnego jadła wchodził zwykle mak, groch, bób, fasola, jabłka, miód i pszenica.

Jadłospis wigilijny bywał bardzo zróżnicowany. Zależał od stanu, stopnia zamożności, od regionalnych i domowych tradycji kulinarnych.

Tradycyjnie postna i dość skromna, złożona z prostych potraw bywała więc dawna wigilia chłopska, ale i ona miała

territories, including our land, during the winter solstice before the introduction of Christianity.

According to tradition, Christmas Eve supper should consist of all produce from the field, orchard, water, forest and garden, that is the fruits of the earth: mainly cereal dishes (of flour and groats), vegetables (mainly cabbage and green peas), fruit, dried mushrooms and honey. Later, fish were also added to the menu. Fish dishes, considered meetless by the Church, became very popular in the course of time and now they are the basis of the *wigilia* menu almost in every region of Poland, in urban and village areas alike.

The evening meal on Christmas Eve is not free from dishes once considered funeral ones. In the past they were taken as offering to the tombs of deceased people and were eaten during feasts for the dead. Those dishes were usually cooked from poppy seed, peas, broad beans, beans, apples, honey and wheat grain.

The menu on Christmas Eve used to be very diversified. It depended on the status and wealth as well as on regional and family culinary traditions.

The old-time *wigilia* in peasant environment was meatless and quite modest, consisting of simple dishes. It also had a number of local varieties. In many regions a so-called *siemieniuch* or *siemionka* was eaten – a soup of linseed or hemp

wiele lokalnych odmian. W wielu regionach jadano niegdyś na Wigilię tzw. siemieniuch lub siemionkę – zupę z siemienia lnianego lub konopi; różne potrawy zbożowe i warzywne, m.in. kisiel owsiany, zupy: z grochu, kapusty, żur postny z mąki żytniej, barszcz buraczany; gotowaną kapustę, grzyby i groch, skąpo maszczone olejem, różne pierogi z postnym wypełnieniem (z grzybów, kapusty lub kapusty z grzybami, z soczewicy), kluski, a wśród nich pszenne kluski z makiem i miodem dotychczas uchodzące za przysmak i typowe polskie danie wigilijne.

Natomiast staropolska wieczerza wigilijna, a zwłaszcza Wigilia szlachecka stała się z czasem prawdziwą ucztą, podczas której podawano kilka zup do wyboru (rybną, grzybową, barszcz czerwony, wykwintną zupę migdałową), wiele dań rybnych przyrządzanych według skomplikowanych przepisów, rozmaite ciasta i słodycze, owoce w cukrze i przednie trunki (węgierskie wina i staropolskie miody pitne).

Książki kucharskie, zwłaszcza stare, pełne są przepisów na wigilijne i świąteczne przysmaki. Kuchnia polska słynie z wigilijnych potraw rybnych, śledzi przyrządzanych na różne sposoby oraz świątecznych wypieków, a przede wszystkim ze strucli

seed, various cereal and vegetable dishes, including oat jelly, soups from peas and cabbage, meatless sour rye soup, red beetroot soup, cooked cabbage, mushrooms and peas, sparsely sprinkled with oil, various dumplings with meatless filling (mushrooms, cabbage, cabbage and mushrooms, lentils), noodles, including wheat noodles with poppy seed and honey. The latter is still regarded a delicacy and a typical Christmas Eve dish.

Among the nobility in Poland of yore, Christmas Eve supper developed into a real feast, with a few soups served to chose among (fish, mushroom, red beetroot and exquisite almond soup), many fish dishes cooked according to complex recipes, a variety of cakes and sweets, candied fruit and fine drinks (Hungarian wine and old-Polish mead).

Old cookbooks in particular contain a lot of recipes for Christmas Eve and Christmas Day delicacies. Polish kitchen is famed for Christmas Eve fish dishes, herring served in many ways and Christmas cakes, especially poppy seed twist cake, old-Polish honey cake and gingerbreads (the pastry for them was traditionally made with the addition of pepper and such aromatic spices as ginger, cinnamon and cloves).

- *Św. Mikołaj, pocztówka, 1947 r.*
- *Św. Mikołaj, pocztówka z okresu międzywojennego*

- *St. Nicholas, a card from 1947*
- *St. Nicholas, a card from the prewar period*

The meatless menu on Christmas Eve, though slightly differing from home to home, has been so far observed in accordance with the traditionally accepted custom. It must necessarily include red beetroot soup with *uszka* (stuffed dough pockets), mushroom soup, herring, at least one fish dish (usually fried carp or carp in jelly), and also some meatless dish from sour cabbage and mushrooms (e.g. cabbage with mushrooms, cabbage with peas, cabbage and mushroom dumplings, *uszka* with mushrooms), noodles with poppy seed, poppy seed cake, gingerbread, nuts, dried fruit, dried fruit compote.

Christmas presents given on Christmas Eve, so much anticipated by children, belong to relatively new Christmas traditions.

Once upon a time only Polish kings and magnates gave valuable presents to their courtiers at Christmas time. The gifts were for example precious clothes and furs, belts and rings, gold and silver chains, riding horses and trappings. The wealthy also supported churches, monasteries, hospitals and poorhouses by delivering them cart-loads of cereal grain or bread, barrels of oil and wine as well as money donations. Servants in noblemen's manors also received some gifts for their loyal work from the house master's wife. In manor

makowej, staropolskiego miodowego piernika i pierniczków (czyli tzw. ciasta piernego, bo wyrabianego z dodatkiem pieprzu oraz aromatycznych przypraw korzennych: imbiru, cynamonu, goździków).

Postne menu wigilijne, chociaż w każdym domu odmienne, dotychczas przygotowuje się według zwyczajowo przyjętych zasad. Koniecznie musi się w nim znaleźć barszcz czerwony z buraków podawany z uszkami, zupa grzybowa, śledź, chociaż jedna potrawa rybna (zwykle jest to karp smażony lub karp w galarecie), także jakieś postne danie z kapusty i grzybów (np. kapusta z grzybami, groch z kapustą, farsz z kapusty do pierogów, grzybowe nadzienie do uszek), kluski z makiem, ciasto makowe, pierniki, orzechy, bakalie, kompot z suszonych owoców.

Wigilijne – gwiazdkowe prezenty, na które z niecierpliwością czekają wszystkie dzieci, to jeden z nowszych zwyczajów Wigilii i Bożego Narodzenia.

Niegdyś tylko królowie i wielmoże polscy w okresie świątecznym Bożego Narodzenia zwykli byli dawać swym dworzanom cenne prezenty, np. kosztowne stroje i futra, pasy i pierścienie, złote i srebrne łańcuchy, konie pod wierzch i rzędy końskie. Wspierali także kościoły, klasztory, szpitale i przytułki furami zboża, chlebów, beczułkami oleju i wina oraz subwencjami

■ *„Tadzio". Mal. W. Weiss, pocztówka*
■ *Matka Boska z Dzieciątkiem. Mal. A. Setkowicz, pocztówka*

■ *"Tadzio;" painted by W. Weiss, a card*
■ *Madonna with Child; painted by A. Setkowicz, a card*

pieniężnymi. Również i na dworach szlacheckich w dzień Wigilii czeladź za wierną służbę otrzymywała z rąk pani domu różne podarki. Na dworach szlacheckich prezenty, niekiedy cenne, wymieniali pomiędzy sobą wszyscy domownicy.

W połowie XIX wieku zwyczaj obdarowywania dzieci, w Wigilię Bożego Narodzenia znany był także bogatym mieszczanom, zwłaszcza pochodzenia niemieckiego.

Natomiast na wsi występował bardzo rzadko, i to tylko w najzamożniejszych rodzinach, a i tutaj dzieci otrzymywały, od Świętego Mikołaja, św. (Starego) Józefa (w Wielkopolsce), od Gwiôzdki (na Kaszubach), od Aniołka, Dzieciątka Jezus (na Górnym Śląsku) jedynie jabłka, pierniki, orzechy, czasem cukierki i inne podobne, ale zwykle dość skromne łakocie.

Obecnie jest to zwyczaj powszechnie praktykowany, związany z wcześniejszymi zakupami, do których specjalnie przygotowują się sklepy w swej handlowej świątecznej ofercie i reklamie.

W wieczór wigilijny, zwłaszcza w domach, w których są dzieci, pod choinką muszą się znaleźć kolorowe paczki i paczuszki z prezentami – niespodziankami. Także dorośli wymieniają pomiędzy sobą chociażby drobne upominki. Prezenty ogląda się najczęściej po

houses of the nobility all home dwellers exchanged presents between one another, often valuable ones.

In the mid-19th century the custom of giving presents to children on Christmas Eve was also known to rich burghers, especially those of German descent.

In villages it was observed very rarely and only in the most wealthy peasant families, where children got presents from Santa Claus, Saint Joseph the Old (in Great Poland), from the Star (in the Kashuby region), from Angel, Infant Jesus (in Upper Silesia), but these included just apples, gingerbread, nuts or sometimes sweets and other similar, usually cheap tidbits.

Nowadays this custom is practiced commonly and requires much shopping in advance, to which shops get ready in a special way, with a lot of Christmas offers and a wide-scale advertising campaign.

On Christmas Eve evening, especially in the homes where there are children, some colourful packets of all sizes containing surprise presents must be left under a Christmas tree. Adults also enjoy giving and getting even some small souvenirs. Those presents are usually inspected after the meal under the lights of Christmas tree. For children this is the most important moment of the whole Christmas Eve celebration.

■ *Dzieci z zabawkami. Mal. Z. Plewińska, pocztówka*
■ *Figurka szopkowa*

■ *Children with Toys; painted by Z. Plewińska, a card*
■ *A figure from a Christmas crib*

- „Na pasterkę". Mal. W. Betley, pocztówka z lat 20. XX w.
- Strona 27: „Na pasterkę". Mal. J. Wasilewski i O. Agewicz, pocztówki z połowy XX wieku

- To Pasterka Mass; painted by W. Betley, a card from the 1920s
- Page 27: "To Pasterka Mass" on postcards by J. Wasilewski and O. Agewicz

kolacji przy zapalonych światełkach na choince. Dla wszystkich dzieci jest to najważniejszy moment uroczystości wigilijnych.

Niegdyś na wsi po skończonej wieczerzy gospodarz i gospodyni szli do obory ze skopkiem, do którego odkładano po łyżce z każdej wigilijnej potrawy. Resztkami wieczerzy oraz opłatkiem stosownego koloru, specjalnie przeznaczonym dla bydła, obdzielano zwierzęta, aby i one dostąpiły radości wielkiego święta, ponieważ przed wiekami w czas Narodzenia Pańskiego było ono obecne w stajence betlejemskiej. Powiadano także, iż zwierzęta, które posilą się resztkami świętego, wigilijnego jadła będą się zdrowo chowały i przynosiły pożytek swym właścicielom.

Czas po wieczerzy wigilijnej (kiedy już posilili się ludzie, zadbano o gości z zaświatów, inwentarz żywy, drzewa owocowe w sadzie), przed wyjściem do kościoła na pasterkę, upływał na odpoczynku, czasem na wróżbach (głównie młodzież wróżyła sobie o miłości i małżeństwie, np. z siana wyciągniętego spod obrusa, i wspólnym śpiewaniu kolęd.

Kolędy śpiewano także w inne świąteczne wieczory i był to obyczaj w całej Polsce powszechny.

Nazwa kolęda (łac. *calendae* – jak w państwie rzymskim nazywano pierwszy dzień każdego miesiąca) w tradycji polskiej oznaczała początkowo świeckie pieśni noworoczne, składające się z trzech części: z życzeń pomyślności, szczęcia i urodzaju w nowym roku, z prośby o datki, wreszcie z podziękowania za otrzymany datek – dar noworoczny, także zwany „kolędą". Tekst takiej właśnie kolędy życzącej wydrukowany został po raz pierwszy w połowie XVI wieku w zbiorku *Rurale ludicium – to jest ludycje wieśne na ten właśnie nowy rok 1544* wydanym w Krakowie przez M. Zajcewica.

W Polsce termin „kolęda" związał się przede wszystkim z pieśniami religijnymi, kościelnymi i domowymi o Bożym Narodzeniu. Pieśni te, po dzień dzisiejszy znane i śpiewane w całej Polsce, wywodzące się z hymnów łacińskich uroczystych i poważnych, początkowo śpiewane były tylko podczas nabożeństw.

In old times in the country, when the evening meal was over, the farm owner and his wife went to the stable carrying a pail, to which they had put a spoon of every Christmas Eve dish. They fed their livestock with the remains of the meal and a special coloured wafer for cattle, with the intention to let the animals share the joy of the great holiday, as ages before they were present in the Bethlehem stable witnessing Lord's Nativity. The animals that would eat the leftovers from the sacred Christmas Eve meal, were said to do well and bring profits to their owners.

After the supper, when people were full, guests from the other world were taken care of, livestock was fed and fruit trees in the orchard protected, there was time for rest and relaxation until going out to church for a Christmas midnight mass. Youths sometimes did fortune telling, especially as regards love and marital matters, e.g. from the hay taken from under the table cloth. Christmas carols were sung together.

Christmas carols were commonly sung in Poland on other Christmas evenings as well.

Their Polish name *kolędy* derives from the Latin word *calendae*, meaning the first day of each month in the Roman empire. In Polish tradition, initially they were lay songs for a new year, which consisted of three parts: the wishes of prosperity, good luck and good crops in the new year, a request for donations and the thanks for being given them. A new year gift was also called *kolęda*. The lyrics of such a song of wishes were first printed in the mid-16th century in a collection entitled *Rurale ludicium* (Rural amusements), published by M. Zajcewic in Cracow in 1544.

In Poland however, *kolędy* or Christmas carols are understood mainly as religious, church or domestic songs on God's Nativity. Known and sung till this day all over the country, these songs are traced back to solemn Latin hymns and they were initially sung only during church service.

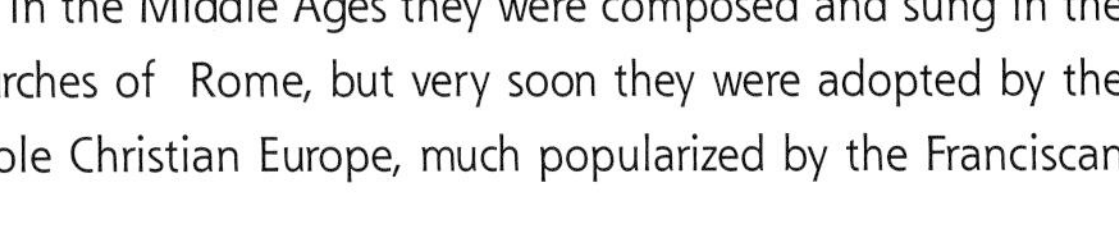

In the Middle Ages they were composed and sung in the churches of Rome, but very soon they were adopted by the whole Christian Europe, much popularized by the Franciscan

W średniowieczu komponowane były i śpiewane w kościołach rzymskich, ale szybko przyjęły się w całej chrześcijańskiej Europie, rozpowszechnione przez rodziny zakonne franciszkańskie. Według legendy autorem pierwszej kolędy był sam św. Franciszek.

Najstarsze znane w Polsce pieśni religijne, zwane kolędami, przełożone z kancjonałów kościelnych i klasztornych, łacińskich i także czeskich (z Czech bowiem przyjęliśmy chrześcijaństwo, a wraz z nim elementy świątecznej liturgii, rytuały, pieśni pobożne, w tym także około 30 kolęd) pochodzą z XV wieku. Są to utwory: *Zdrow bądź Krolu anielski* – rękopis z 1424 roku, uznawany za przekład z języka czeskiego, oraz śpiewana dotychczas kolęda – chorał *Anioł pasterzom mówił* – przetworzona z oryginału łacińskiego.

W XVII i przede wszystkim w XVIII wieku rozwinęła się bardzo oryginalna polska twórczość kolędowa.

Około 1631 roku powstała kolęda *W żłobie leży*, do której słowa (jak się przyjmuje) ułożył wielki polski kaznodzieja Piotr Skarga, z melodią nawiązującą do motywów poloneza koronacyjnego króla Władysława IV. Kolędy pisali tak wielcy autorzy, jak Hieronim Morsztyn i Wespazjan Kochowski.

Wiele kolęd o dużej wartości literackiej powstało zwłaszcza w XVIII wieku, uznawanym za złoty wiek kolędy polskiej. Powstały wówczas m.in. tak popularne dotychczas, piękne kolędy, jak: *Wśród nocnej ciszy, Jezus malusieńki, Gdy śliczna Panna Syna kołysała, Ach ubogi żłobie, Tryumfy Króla Niebieskiego*, a w 1792 roku wielka uroczysta kolęda *Bóg się rodzi*, ułożona przez Franciszka Karpińskiego. Powstało też wiele innych kolęd, których autorami byli pisarze i poeci, księża i zakonnicy. Śpiewa się je po dzień dzisiejszy na melodię hymnów łacińskich (te najstarsze), także polonezów, marszów, mazurów, tańców ludowych i kołysanek. Motywy kołysanki-kolędy *Lulajże Jezuniu* zaadaptował w swej muzyce, w scherzu h-moll, Fryderyk Chopin.

Począwszy od XVII wieku w polskich kolędach pojawiają się wątki ludowe. W opowieść biblijną o Bożym Narodzeniu wplecione zostają wątki z folkloru polskiego. Najczęściej występujący w nich motyw to wędrówka polskich pasterzy idących

■ *Szopka. Album typów ulicznych z dawnej i niedawnej Warszawy, rycina J. Rapacki*

confraternities. Legend has it that Saint Francis himself was the author of the first Christmas carol.

The oldest religious songs considered as Christmas carols that were known in Poland date from the 15th century. Transcribed from church and monastery cantionals in Latin and Bohemian (Poland adopted Christianity from Bohemia and along with it came some elements of Christmas liturgy, rituals and religious songs, including 30 Christmas carols), they include such pieces as *Hail, the Angel King*, a manuscript from 1424 considered to be a translation from the Bohemian language, and the still widely sung *Angel Told the Shepherds*, an adaptation of a Latin original.

The unique Polish Christmas carols lore developed in the 17th and above all in the 18th centuries.

The carol *Infant Holy, Infant Lowly* is dated around 1631. Its lyrics are ascribed to the great Polish preacher Piotr Skarga and the tune refers to some motifs of King Władysław IV's coronation polonaise. Such renowned writers as Hieronim Morsztyn and Wespazjan Kochowski used to write Christmas carols.

The 18th century, regarded as the golden age of Polish Christmas carols, gave birth to a great number of carols on a high literary level. Such popular, beautiful carols as *Amid the Night's Silence, Tiny Jesus, When Pretty Maiden Was Rocking Her Son, Oh, Poor Manger, The Heavenly Kings' Triumphs*, were then composed, as well as the admired solemn carol *God is Born*, written by the poet Franciszek Karpiński in 1792. Many other Christmas carols were written by writers and poets, priests and monks. They are still commonly sung to the tunes of Latin hymns (the oldest ones) as well as polonaises, marches, mazurkas, folk dances and lullabies. Some motifs of the carol *Hush, Little Jesus* were used by Frederic Chopin in his music, and specifically in the scherzo in B-minor.

Starting from the 17th century, some folk motifs appeared in Polish Christmas carols. Polish folk themes were interwoven in the Biblical story of God's Nativity. The most frequent theme was the wandering of Polish shepherds through country roads amid snow-clad fields to a village called Bethlehem in order to find Infant Jesus in a manger, bow to Him and

■ *Street characters from old and quite recent Warsaw; drawing by J. Rapacki*

polskimi drogami, przez zasypane śniegiem pola, z pokłonem i darami do wioski zwanej Betlejem, do żłobka i małego Jezusa. Te wesołe i skoczne kolędy, pełne realiów życia codziennego i humoru, zawierające elementy gwary, zwane są pastorałkami. Nie śpiewało się ich w kościołach lecz w domach, podczas świątecznych spotkań oraz zabaw rodzinnych i sąsiedzkich. Śpiewali je także kolędnicy.

Podziału na kolędy i pastorałki dokonał w XIX wieku ks. Marcin Mioduszewski, zbieracz i wydawca pieśni religijnych, autor największego zbioru kolęd polskich. Liczne polskie kolędy kościelne znalazły się w opracowanym przez niego *Wielkim Śpiewniku Kościelnym* jako *Pieśni o Bożym Narodzeniu* (przeznaczone do śpiewania w świątyniach podczas nabożeństw). Wydane później, w 1848 roku *Pastorałki i kolędy*, zawierają także pieśni śpiewane w domach i podczas obchodów kolędniczych.

W polskich kolędach z XIX i XX wieku, pojawiają się wątki patriotyczne i elementy martyrologii narodowej. W czasach rozbiorów, powstań narodowych i wojen na melodię starych kolęd śpiewano w domach, podczas spotkań konspiracyjnych i w kościołach stosowne teksty patriotyczne. Wówczas były manifestacją polskości.

Kolędy, które dotychczas rozbrzmiewają w kościołach od Bożego Narodzenia aż do święta Matki Boskiej Gromnicznej (2 lutego), są piękną oprawą polskich obchodów świąt Bożego Narodzenia.

- *„Na pasterkę". Mal. J. Ryszkiewicz, pocztówka, okres międzywojenny*
- *„Gwiazdka". Mal. J. Wasilewski, pocztówka z połowy XX wieku*

give Him some gifts. Such joyful and lively Christmas songs, filled with everyday realities and humour, with some elements of local dialect, are called *pastorałki* (pastoral carols). They were performed at home rather than in church, during holiday meetings of families and neighbours. They were also sung by carol-singers.

The classification of Christmas carols was made by the Rev. Marcin Mioduszewski in the 19th century. A collector and publisher of religious songs, the author of the biggest collection of Polish Christmas carols, he compiled *The Great Church Songbook* with a large number of Polish church carols collected under the title "Songs of Christmas" and destined for singing during church service. His later collection, *Pastorałki and Kolędy*, published in 1848, also contain songs sung at home and by roaming carol-singers.

In the 19th and 20th centuries patriotic and national martyrdom themes appeared in Polish Christmas carols. In the period when Poland was partitioned, during national uprisings and wars, up-to-date patriotic lyric were sung to old carol tunes in homes, at clandestine meetings and in churches, as a manifestation of the Polish spirit.

Christmas carols, which today are still commonly heard in churches from Christmas Eve till Candlemas on February 2, provide a fine setting to Polish celebrations of Christmas holiday.

- *"To Pasterka Mass;" a card by J. Ryszkiewicz, prewar period*
- *"Christmas;" a card by J. Wasilewski, from the mid-20th century*

■ BOŻE NARODZENIE – 25 GRUDNIA

Zarówno sam dzień Bożego Narodzenia, 25 grudnia, jak i cały czas świąteczny trwający do 6 stycznia, czyli do święta Trzech Króli, po staropolsku zwano Godami. Nazwa ta wywodząca się od starosłowiańskiego *god*, czyli rok, mogła oznaczać zaślubiny starego i nowego roku (Boże Narodzenie przypadające w porze zimowego przesilenia słońca rozpoczyna nowy rok słoneczny i wegetacyjny) albo święto godne, uroczyste i wielkie, które należy (godzi się) obchodzić hucznie jak wesele (również nazywane godami).

Dzień Bożego Narodzenia spędzano niegdyś w spokoju, w kręgu rodzinnym. Przez szacunek dla wielkiego święta, wstrzymywano się od prac gospodarskich i domowych (poza niezbędnym obrządkiem inwentarza żywego): nie wolno było sprzątać, nawet zamiatać, rąbać drew, ciągnąć wody ze studni, rozniecać ognia ani gotować.

■ CHRISTMAS – 25 DECEMBER

In Old Polish, both Christmas Day itself and the whole Christmastide from 25 December till 6 January, the day of Epiphany, commemorating the coming of the Magi, was described as *Gody*. The name was derived from Proto-Slavic god, meaning "year", and it could mean the union of the old and the new year. Christmas falls on the winter solstice; it starts a new solar and vegetation year. *Gody* in Polish also means a great, solemn holy time, which has to be celebrated as pompously as a wedding, sometimes also called this name.

In old times Christmas Day was spent peacefully at home with family. Out of respect for the great holiday people abstained from any work in the household or at the farm except from the necessary feeding of livestock. It was banned to clean or even sweep the floor, chop wood, draw water from a well, lit fire or cook.

■ *Święta Rodzina. Mal. W. Boratyński, pocztówka z okresu międzywojennego*

■ *The Holy Family; a card by W. Boratyński, prewar period*

Po powrocie z kościoła odpoczywano, biesiadowano w gronie domowników, racząc się przygotowanymi wcześniej świątecznymi przysmakami, głównie mięsem i domowym ciastem. Potrawy obiadowe podgrzewano na żarze, pozostawionym na kominie poprzedniego dnia. Wieczorem śpiewno kolędy.

Dotychczas, zgodnie z tradycją, w wielu domach w pierwszy dzień świąt Bożego Narodzenia, 25 grudnia, nie urządza się wesel, chrzcin ani hucznych przyjęć i poza najbliższą rodziną nie składa i nie przyjmuje wizyt. Dzień Bożego Narodzenia do tej pory obchodzi się w Polsce jako wielkie święto zarówno kościelne, jak i rodzinne.

After coming back home from church, people took rest, sat at the table with their family relishing all the Christmas delicacies made for the holiday, especially meat and homemade cakes. Dishes were warmed on the embers remaining in the stove from the previous day. In the evening Christmas carols were sung.

Following the old tradition, today still in many houses no weddings, baptisms or any other big revelries are held and no visitors are allowed except for close relatives on 25 December, Christmas Day. In Poland it continues to be the most important religious feast and family holiday.

- *„Do kościoła". Mal. J. Kossak, pocztówka*
- *Jasełka w kościele. Mal. W. Betley, pocztówka, 1931 r.*

- *"To Church;" painted by J. Kossak, a card*
- *Nativity Play in Church; a card by W. Betley, from 1931*

■ *Noworoczne Dziady Żywieckie, Laliki. Fot. K. Chojnacki*

■ *Żywiec region New Year's old beggars at Laliki; photo by K. Chojnacki*

SZCZODRE DNI - 26 GRUDNIA–6 STYCZNIA
BOUNTIFUL DAYS — 26 DECEMBER–6 JANUARY

■ ŚW. SZCZEPANA - DRUGI DZIEŃ ŚWIĄT BOŻEGO NARODZENIA - 26 GRUDNIA

Dzień św. Szczepana, pierwszego męczennika Kościoła, rozpoczynał się od udziału w nabożeństwie, podczas którego święcono owies (najczęściej) lub inne ziarno. Na pamiątkę (jak mówiono) męczeńskiej śmierci świętego przez ukamienowanie, po skończonej mszy, poświeconym owsem obrzucano kapłana i kościelnego, a także – z chóru – wychodzących z nabożeństwa wiernych. Kawalerowie starali się obsypać ziarnem urodziwe panny. Garście owsa z krzykiem i śmiechem rzucały w siebie dzieci.

Po powrocie do domu owsem rzucali w siebie domownicy oraz przychodzący z wizytą i świątecznymi życzeniami sąsiedzi, w południowych regionach Polski nazywani podłaźnikami. Składając życzenia, rzucali garść owsa i wołali, aby się wszystko w gospodarstwie wiodło, aby urodzaj był na wszelkie zboża, na kapustę, na groch, na ziemniaki, aby w oborach było pełno młodego przychówku, cieląt, prosiąt, kurcząt, gęsi i kaczek i aby gospodarzom na pociechę, wyrękę i radość urodziło się zdrowe potomstwo.

Wśród podłaźników najważniejsi byli i najbardziej oczekiwani młodzi kawalerowie. Wizyta kawalera w okresie świątecznym w domu, w którym była panna na wydaniu, zawsze oznaczała przyjście w konkury.

■ ST. STEPHEN'S DAY - THE DAY AFTER CHRISTMAS DAY- 26 DECEMBER

The Day of St. Stephen, the first martyr of the church, used to be started with taking part in the church service during which oats (most often) or other grain was consecrated. To commemorate the saint's martyrdom by being stoned to death, after the mass the consecrated oat grain was thrown at the priest and sacristan, as well as from the choir at the faithful going out of the church. Bachelors tried to throw it at fair maidens. Children threw handfuls of grain at one another with a lot of shouting and laughing.

When they returned home, they continued to throw oats at their family members and neighbours visiting them to pass Christmas wishes, in the southern regions of Poland called "roamers".

They threw a handful of oats while exclaiming their wishes of prosperity to the household and a good harvest of crops, cabbage, peas and potatoes, of plenty young cattle in the cow-shed, as well as piglets, chicken, geese and ducks, and a healthy progeny to be born there to be the hosts' help, joy and consolation.

The most wanted and revered roamers were young bachelors. A bachelor's visit in a house where a young maiden lived, paid during the Christmas season, always indicated that suiting began.

■ *Maska kolędnicza, turoń. Wykonała M. Bodziena, Gostwina k. Nowego Sącza*

■ *A caroller's turoń mask; by M. Bodziena from Gostwina near Nowy Sącz*

Dzień św. Szczepana był początkiem wesołego świętowania: zabaw, odwiedzin i poczęstunków, a trwały one dwanaście dni, od 26 grudnia do 6 stycznia, czyli do święta Trzech Króli; w przeszłości tyle dni świętowano Boże Narodzenie.

Czas ten nazywano Dwunastnicą, Godami (jak dzień Bożego Narodzenia), Świętymi, Bożymi Dniami lub Wieczorami a – najczęściej – Szczodrymi Dniami.

Był to czas bardzo wesoły. Na wsi nie było bowiem pilnych prac gospodarskich, domy i obejścia były wysprzątane, a spiżarnie i komory, zwłaszcza u bogatych gospodarzy, pełne jeszcze chlebów, placków, mięsa, słoniny i kiełbas.

W tych dniach ograniczano codzienne prace, zwłaszcza po zapadnięciu zmroku, nawet tradycyjne zajęcia kobiece, takie jak przędzenie, motanie nici i tkanie na domowych krosnach.

Powiadano, że w tym czasie dusze zmarłych (być może przybywające jeszcze w swych ziemskim domostwach) mogą się jeszcze snuć po domu i obejściu, a kręcące się wrzeciona i kołowrotki czy przesuwane szybko czółenka tkackie mogłyby wyrządzić im szkodę.

Powiadano także (np. na wschodnim Mazowszu i Podlasiu), że w przędzy potrafi ukryć się diabeł, aby przez cały rok nękać ludzi i wyrządzać im szkody.

St. Stephen's Day marked the beginning of revelries, merrymaking, visiting and entertaining one another, which lasted twelve days: from 26 December till 6 January, the feast day of Epiphany. Such was the time span of Christmas celebrations in the past. That period was called the Twelve Days, *Gody* (like Christmas itself), Holy or God's Days or Evenings, and most often – Bountiful Days.

It was a very happy time. In the country there was no urgent field work, houses and courtyards had been cleaned and larders were still full of loafs of bread, cakes, meat, pork fat and sausages, especially in rich peasant houses.

Daily chores were limited in this period, especially when night fell. Even such traditional female occupations as spinning, spooling and weaving on a hand loom were restricted.

It was said that in those days the souls of the dead might still hover around their former earthly dwellings and a spinning wheel or shuttle pushed quickly by weavers could do harm to them.

It was also said (e.g. in eastern Mazovia and Podlasie regions) that the devil might hide in yarn and then he would harass people and do mischief throughout the whole year.

- *Kolędnicy z gwiazdą. Mal. B. Rychter-Janowska, pocztówka*
- *Figurka jasełkowa, diabeł, początek XX wieku*

- *Carollers with a Star; painted by B. Rychter-Janowska, a card*
- *A figure of Devil from a nativity play; early 20th century*

Tak więc nawet wiecznie zajęte i zapracowane gospodynie domowe mogły o zmroku odejść od swych kołowrotków i krosien, aby razem z innymi domownikami świętować Boże Narodzenie przez dwanaście szczodrych wieczorów. Drzwi wszystkich domów otwierały się na przyjęcie gości, a każdego starano się jak najlepiej ugościć.

Aby temu sprostać, gospodynie piekły całe sterty placków, małych chlebków i bułeczek, zwanych szczodrakami, bułkami szczodrakowymi, bochniaczkami, kukiełeczkami, moskaliczkami (na Podhalu), tak aby żaden gość i kolędnik nie odszedł bez poczęstunku.

****

Kolędnicy

W szczodre dni, a nierzadko i w dni późniejsze (bo aż do 2 lutego, czyli do święta Matki Boskiej Gromnicznej) do domów przychodzili kolędnicy, zwykle kilkuosobowe grupki dzieci i młodzieży.

Na wsi byli to zwykle chłopcy z biednych rodzin lub młodzi parobcy, w miastach chłopcy z przedmieść, terminatorzy i młodzież czeladnicza, a także ubodzy uczniowie i studenci, w Krakowie zwani żakami.

So even the busiest housewives on the farms could put away their spinning wheels and looms at dusk to join other family members in Christmas feasting for twelve bountiful evenings. The doors of all houses kept opening to let guests in and everyone entertained them as best as they could.

To cope with all that women baked huge piles of cakes, small loaves of bread and rolls called *szczodraki* (bounties) and many other local names, including "little puppets", so that no visitor or carol singer would leave without being treated with some food.

****

Christmas Carol Singers

On those twelve days and often much longer (until 2 February, the feast of Candlemas) Christmas carol singers wandered from home to home, usually in groups of several children or youths.

In villages they were normally boys from poor families or young farm-hands; in cities - boys from the suburbs, young apprentices and poor university students, known in Cracow as *żaki*.

- *Ozdoba choinkowa*
- *Kolędnicy z szopką. Mal. J. Górski, pocztówka*

- *A Christmas tree ornament*
- *Carollers with a Christmas Crib; painted by J. Górski, a card*

W zamian za powinszowania składane gospodarzom z okazji świąt Bożego Narodzenia i Nowego Roku, za odśpiewane kolędy lub za odegrane scenki, a nawet całe przedstawienie amatorskie otrzymywali pieniądze i świąteczny poczęstunek.

In return for their wishes of Merry Christmas and a Happy New Year given to householders, for the carol singing, staging scenes or even whole amateur performances, they received money and a festive treat.

✻✻✻✻

Obchody kolędnicze zwane także chodzeniem po kolędzie (czyli po świątecznej kweście) mają zasięg europejski, a ich początki sięgają średniowiecza.

W Polsce chodzenie po kolędzie znane było i występowało powszechnie we wszystkich regionach, na wsi i w miastach (chociaż głównie w dzielnicach peryferyjnych).

Liczne występujące w Polsce grupy kolędnicze różniły się między sobą przebraniem, akcesoriami, repertuarem odgrywanych scenek.

Carollers walking from house to house, doing a sort of Christmas fund-raising, were found all over Europe and the tradition began in the Middle Ages. In Poland this custom was commonly known in all regions in countryside and in cities, although it was always most common in suburban areas. Groups of carol singers in Poland differed from each other in their costumes, accessories and the repertoire of the scenes they performed.

✻✻✻✻

Chodzono więc po kolędzie z żywymi zwierzętami (np. na ziemi rzeszowskiej), z prosięciem, gęsiorem, barankiem, ale głównie z koniem. Była to tzw. sąsiedzka kolęda, dzięki której odwiedzanym gospodarzom, miało się dobrze powodzić przez cały rok.

Some of them (e.g. in the Rzeszów land) walked bringing on with them live animals, such as a pig, goose, ram, and most often a horse. Animals were usually taken to neighbours, and along with carol singing they were supposed to bring good luck and prosperity for the whole year to the visited families.

- *Maska kolędnicza, diabeł. Wykonali A. i J. Hulkowie, Łękawica k. Żywca*
- *Z turoniem w Gostwicy k. Nowego Sącza, 1931 r. Fot. W. Migacz*

- *A caroller's Devil mask; by A. and J. Hulko from Łękawica near Żywiec*
- *With turoń at Gostwica near Nowy Sącz, 1931; photo by W. Migacz*

****

Bardzo popularne były obchody kolędników przebranych za zwierzęta i z maskami zwierzęcymi (wystruganymi z drewna, osadzanymi na mocnym drążku). Przede wszystkim z turoniem (byczkiem), z wielką, kłapiącą paszczą, wybitą czerwonym suknem i z ostrymi zębami z gwoździ, także z kozą, z podobnie skonstruowanym konikiem (kobyłką). Chodzono po kolędzie także z innymi postaciami zwierząt, np. z krową, z bocianem albo z żurawiem (chociaż rzadziej, ptakami zwiastującymi wiosnę), z niedźwiedziem, w kostiumie ze słomy lub w kożuchu odwróconym włosem na wierzch, popisującym się zabawnym, niezdarnym tańcem, prowadzonym na łańcuchu przez Cygana – niedźwiednika.

Wszystkim tym postaciom towarzyszyli często inni przebierańcy: Dziad i Baba, Żyd i Żydówka oraz muzykanci.

Niektóre z nich, np. niedźwiedź, konik, bocian i koza, występowały także w późniejszych paradach przebierańców zapustnych.

Wierzono powszechnie, że wizyty kolędników z postaciami zwierząt zapewniają urodzaj i wszelkie dostatki, a ich psoty i harce były dla wszystkich doskonałą zabawą. Im lepiej bawili się domownicy, tym większych datków i lepszego poczęstunku mogli się spodziewać chodzący po kolędzie chłopcy.

Po kolędzie chodziły także grupki dzieci bez żadnych akcesoriów, albo tylko z małą szopką, sklejoną z tektury lub dykty, śpiewając kolędy i prosząc o wsparcie, a głównie o świąteczne jadło.

- *Zima z turoniem i gwiazdą. Mal. Z. Stryjeńska*
- *„Na pasterkę". Mal. W. Boratyński*
- *Boże Narodzenie. Mal. Z. Stryjeńska*

****

Christmas carol singers themselves very often dressed up as animals or held animal masks carved from wood and fixed on a long pole. It was chiefly a *turoń* (young bull) with a big snapping jaw lined with red cloth and with sharp teeth made of nails, but also a goat or a mare of similar construction. Other animal representations included a cow, stork or crane (more rarely some birds which heralded spring), a bear in a straw costume or a sheepskin coat turned inside out. The latter, lead on a chain by a Gypsy man, entertained viewers with his clumsy dance.

These figures were often accompanied by other dressed-up figures: and old couple, a Jewish couple and some musicians.

Some of the "animals", for instance bears, horses, storks and goats, took part in carnival parades held at a later time.

It was commonly believed that the visits of carol singers with animal figures would ensure good harvest and general prosperity, while their frolicking and pranking about was enjoyed by everyone. The better they entertained the hosts, the more money and better treatment the wandering carol singers were offered.

Small groups of children without any props or just with a small Christmas crib made of cardboard or plywood went about singing carols and asking for offerings, mainly of some treats of Christmas food.

- *Winter with a Turoń and a Star; painted by Z. Stryjeńska*
- *"To Pasterka Mass;" painted by W. Boratyński*
- *Christmas; painted by Z. Stryjeńska*

- *Kolędnicy z szopką. Bukowina Tatrzańska. Fot. K. Chojnacki*
- *Gwiazda kolędnicza. Wykonała Olga Kozłowska, Miklasze k. Białegostoku, 1989 r.*

- *Carollers with a Christmas Crib. Bukowina Tatrzańska; photo by K. Chojnacki*
- *A carollers' star made by Olga Kozłowska from Miklasze near Białystok, 1989*

✳✳✳✳

Na kształtowanie się i rozwój obchodów kolędniczych istotny wpływ wywarła także tradycja chrześcijańska i obchody kościelne Bożego Narodzenia. Kolędnicy przyjmowali i przetwarzali w swoich występach niektóre symbole religijne, teksty i akcesoria i adaptowali je do swych występów.

W całej Polsce znane więc były obchody z gwiazdą (symbolizującą gwiazdę betlejemską, która przed wiekami prowadziła do Betlejem Trzech Króli), wykonaną własnoręcznie, z listewek, oklejonych kolorowym papierem, półprzezroczystym pergaminem, lub bibułą, oświetloną umocowaną w niej świeczką, a w czasach późniejszych lampką – małą żarówką zasilaną baterią elektryczną.

Kolędnicy z gwiazdą, rozpoczynali obchody już w wieczór wigilijny; stawali pod oknami i śpiewali kolędy. Ich przybycie i widok ukazującej się w oknie kolorowej świe-

✳✳✳✳

Christmas tradition and church celebrations of Christmas had a great impact on the development of carol singing tradition. Carollers took over and transformed some religious symbolism, texts and requisites to adapt them to their own performance.

Star carriers were known all over the country. They wandered around holding a symbol of the Star of Bethlehem, which centuries ago led the Magi to Bethlehem, a hand-made star from strips of wood, its frame covered with coloured paper, semi-transparent parchment or crepe paper. It was lit inside with a candle and in more recent times with an electric bulb powered by a battery.

Star-carrying carollers started to visit houses on Christmas Eve. They stood in front of windows and sang Christmas carols. Their coming with a colourful, shining and whirling

cącej i wirującej gwiazdy, zawsze przyjmowany był z radością, a gospodynie chętnie wynosiły gwiazdorom różne datki. Wkładały im do koszyczków kawałki świątecznego placka, jabłka, kawałki suszonej rzepy i orzechy.

Niekiedy chłopcy chodzący z gwiazdą, przyłączali się do innych kolędujących grup i towarzyszyli im, chodząc po kolędzie razem.

****

Z tradycji chrześcijańskiej wywodzą się obchody kolędnicze z szopką wykonaną z drewna lub dykty, zwykle z frontem przypominającym fasadę kościoła, z szeroko otwartym wejściem i scenką dla kukiełek, czyli z obnośnym teatrzykiem kukiełkowym, na którego scence odgrywane były jasełka (od jasło – żłób) – przedstawienia o Bożym Narodzeniu.

Przedstawienia te wzięły początek z widowisk kościelnych, które już w XIII wieku znane były w całej chrześcijańskiej Europie. Kościelne dramaty religijne o Bożym Narodzeniu odgrywane były także w kościołach polskich i kolegiatach (uczelniach klasztornych i kościelnych).

- *Maska śmierci. Wykonał L. Kubaszczyk, Koniaków, 1973 r.*
- *Kolędnicy. Rys. M.E. Andriolli, Z. Gloger „Rok polski w życiu, tradycji i pieśni" 1908 r.*

star appearing in a window was always greeted with joy and women eagerly handed out some dole to them. They would put pieces of holiday cake or dried turnip, apples and nuts into their baskets.

Sometimes those carrying a star would join another group of wandering carollers and together they would continue visiting people.

****

The carrying about of *szopka*, or nativity scene, made of wood or plywood, its front usually resembling a church façade, its gates wide open and a small puppet theatre stage inside on which *jasełka* (from jasło: manger), or puppet shows on Christ's Nativity were performed, has its roots in the Christian traditions.

These shows were derived from church plays, known in the whole Christian Europe as early as the 13th century. Religious church dramas on God's Nativity were staged also in Polish churches and colleges run by churches and monasteries.

- *A mask of Death; by L. Kubaszczyk from Koniaków, 1973*
- *Carollers; drawing by M.E. Andriolli, in Z. Gloger's "The Polish Year in Life, Tradition and Song," 1908*

W Polsce, w okresie Bożego Narodzenia, głównie w kościołach przyklasztornych franciszkanów, kapucynów i bernardynów w Krakowie i w Warszawie, urządzano także ekspozycje z nieruchomych figur. Tradycja ta przetrwała dotychczas jako tzw. szopka kościelna, adorowana w okresie świątecznym przez wiernych, we wszystkich polskich kościołach.

Niegdyś figury z szopek kościelnych miały ilustrować sceny biblijne związane z Narodzeniem Jezusa (Świętą Rodzinę i Adorację Dzieciątka, pokłon Trzech Króli, ucieczkę do Egiptu czy Ofiarowanie Jezusa w świątyni). Wymieniane więc były stosownie do dnia świątecznego cyklu. Z czasem bracia zakonni, pragnąc przyciągnąć wiernych do kościołów i zachęcić ich do udziału w świątecznych nabożeństwach, zaczęli z ukrycia poruszać figurami, a to dało początek jasełkom kościelnym, wzorowanym na francuskich i włoskich (głównie neapolitańskich) przedstawieniach marionetkowych.

During Christmas season in Poland expositions of motionless figures were displayed mainly in monastery churches of the Franciscan, Capuchin and Friars Minor orders in Cracow and Warsaw. This tradition has survived as a church nativity crib, adored by the faithful at Christmas time in all Polish churches.

In the past, the figures from church cribs were supposed to illustrate Biblical scenes connected with Christ' Nativity: the Holy Family and the Adoration of the Child, the Adoration of the Magi, the flight into Egypt or the Presentation of Jesus in the Temple. They were modified accordingly to each day of the Christmastide. In the course of time monks started to move those figures while hiding behind, in order to attract more and more faithful to the church and encourage them to participate in holiday services. This was the beginning of church nativity plays modeled on the French and Italian (chiefly Napolitain) puppet shows.

■ *Jasełka, Laski k. Warszawy. Fot. K. Chojnacki*
■ *Maska diabła. Wykonał L. Kubaszczyk, Koniaków, 1973 r.*

■ *A nativity play at Laski near Warsaw; photo by K. Chojnacki*
■ *A mask of Devil; by L. Kubaszczyk from Koniaków, 1973*

Najstarsze zachowane w Polsce drewniane, polichromowane figurki jasełkowe, z gotyckiej XIV-wiecznej szopki kościelnej, znajdują się w kościele św. Andrzeja (ss. klarysek) w Krakowie. Dla klasztoru ufundowała je królowa węgierska Elżbieta, siostra Kazimierza Wielkiego.

Z czasem do przedstawień jasełkowych wprowadzono wątki patriotyczne i scenki rodzajowe, niepozbawione elementów satyry i zabawy, które do kościołów przyciągały rzesze wesołych, niesfornych i hałaśliwych widzów. Z tego powodu, w trosce o zachowanie powagi w świątyniach, w 1738 roku biskup poznański Teodor Czartoryski, a w ślad za nim inni biskupi polscy wydali zakaz urządzania jasełek w kościołach. Zezwalano tylko na ustawianie w okresie świątecznym żłobków lub nieruchomych szopek.

Usunięte z kościołów jasełka kontynuowane były w obchodach kolędniczych, w ludowych i plebejskich przedstawieniach szopkowych. Zmieniła się więc zarówno ich scenografia, jak i teksty. W historię Narodzenia Bożego, wplecione zostały wątki świeckie i elementy polskiego folkloru. Występujące w szopce kukiełki wyobrażały zarówno postacie biblijne, jak i osoby związane z dziejami Polski i życiem codziennym mieszkańców polskich miast i wsi, różnych stanów: szlachciców, mieszczan i kupców, chłopów i rzemieślników, pasterzy, polskich królów i żołnierzy; nie brakowało także przedstawicieli innych narodowości mieszkających w Polsce: Cygana, Żyda (handlarza lub szynkarza), Węgra (wędrownego sprzedawcy olejków), Prusaka, Moskala, Kozaka oraz postaci z podań, legend i demonologii ludowej, takich jak: dziad – pielgrzym, czarownica, diabeł i śmierć.

The oldest wooden polychromed nativity play figures from a 14th-century Gothic church crib have been preserved in Poland in St. Andrew's Church of the Sisters of St. Clare in Cracow. They were donated to the church by Elisabeth, Queen consort of Hungary, Polish King Casimir the Great's sister.

In the couse of time nativity plays were enriched with patriotic themes and genre scenes, not free from elements of satire and entertainment, which attracted crowds of merry, unruly and noisy viewers. For that reason and with the intention to save the solemn character of temples, Bishop of Poznań Teodor Czartoryski issued a ban on performing nativity plays in churches in 1738. His example was followed by other Polish bishops. It was only allowed to arrange cribs or motionless nativity scenes at Christmas time.

Nativity plays continued to be performed by Christmas carol singers and in folk and peasant performances of God's Nativity. Thus both their setting and the texts themselves changed. Lay themes and elements of Polish folklore were intertwined with the story of God's Nativity. The puppets appearing in a play stood not only for Biblical heroes but also for people connected with the history of Poland and with everyday life of its town and country dwellers of all states: noblemen, burghers and merchants, peasants and workers, shepherds, Polish kings and soldiers. There were also representatives of other ethnic groups living in Poland, like a Gypsy, a Jew (as a trader or inn-keeper), a Hungarian (a wandering oils seller), a Prussian, a Muscovite, a Cossack and many heroes of myths and legends such as Old Pilgrim, Witch, Devil and Death.

■ *Kolędnicy. Rys. J. Ejsmont „Tygodnik Ilustrowany", 1882 r.*

■ *Christmas Carollers; drawing by J. Ejsmont in the "Tygodnik Ilustrowany," 1882*

▪ Szopki krakowskie

Najbardziej wyszukanymi formami oraz najbogatszym i najpiękniejszym zdobnictwem wyróżniają się w Polsce szopki krakowskie, od połowy XIX wieku wykonywane przez majstrów – cieśli i murarzy z Krakowa i wsi podkrakowskich.

Architektura wszystkich tych szopek nawiązuje zawsze do zabytkowych gotyckich i barokowych budowli Krakowa (takich jak Wawel, kopuła kaplicy Zygmuntowskiej, mury obronne, kościół Mariacki, Sukiennice i staromiejskie kamieniczki). Wszystkie szopki krakowskie przypominają kościoły lub pałace, z trzema lub nawet pięcioma wysokimi wieżami, nakrytymi kopułami lub strzelistymi iglicami. Wszystkie wyklejone są barwnym glansowanym papierem i kolorową, błyszczącą cynfolią. Urzekają więc nie tylko misternie wykonanymi detalami architektonicznymi i niezliczonymi ozdobami, ale także swoją niezwykłą kolorystyką.

▪ Cracow Christmas cribs

The most refined forms, the most opulent and beautiful ornamentation – these are the distinctive features of Polish Christmas cribs from Cracow. They have been made by Cracow masters of carpentry and stone-masonry since the mid-19th century.

The design of all these cribs as a rule refers to such historic Gothic and Baroque structures in Cracow as Wawel Castle, the dome of the Sigismund Chapel, St. Mary's Church, defensive walls, the Cloth Hall and the Old Town houses. All Cracow cribs resemble churches or palaces, having three or five tall towers with domes or slender steeples. They are pasted with glossy coloured paper and colourful, shining silver paper. They captivate with the mastery of tiny architectural details, countless ornaments and fabulous colours.

Michał and Leon Ezenkier, the creators of the first crib of this kind in 1860, are thought to be the precursors of

▪ *Szopki krakowskie na rynku w Krakowie. Fot. J. Leśniak*

▪ *Christmas cribs in Cracow Market Square; photo by J. Leśniak*

Za prekursorów szopki krakowskiej uznaje się Michała i Leona Ezenekierów, autorów pierwszej szopki tego typu wykonanej w 1860 roku. W ich ślady poszli inni krakowscy murarze, także żyjący w czasach późniejszych, zwykle bezrobotni w okresie zimowym i zwłaszcza wtedy zajmujący się budowaniem szopek i chodzeniem po kolędzie. Wkrótce mieli się przekonać, że im większa, piękniejsza i bardziej kolorowa szopka, tym więcej mają klientów (bogatych, krakowskich mieszczan, zapraszających do swych domów kolędników z jasełkami, ku uciesze całej rodziny a przede wszystkim dzieci), a tym samym wyższe zarobki.

Warto zaznaczyć, ze szopki krakowskie wykonywane są nadal, dzięki dorocznym konkursom organizowanym w Krakowie od 1937 roku pod patronatem władz miejskich i muzeów: historycznego i etnograficznego.

Każdego roku (jedynie z przerwą w latach drugiej wojny światowej), w pierwszych dniach grudnia, na krakowskim rynku pod pomnikiem Adama Mickiewicza, prezentowane są prace wielu autorów. Można podziwiać wielkie, wielokondygnacjowe budowle, ale także kunsztownie wykonane kilkucentymetrowe miniaturki, często prawdziwe działa sztuki modelarskiej i zdobniczej.

Chistmas crib making art in Cracow. Other Cracow stonemasons followed their steps. In later times, when they were unemployed in the winter season, they occupied themselves with crib building and going about singing Christmas carols. They quickly understood that the bigger, more beautiful and colourful their crib was, the greater number of rich Cracow burghers would invite them to their house to sing carols and perform nativity plays to please their family and children in particular. That certainly meant a higher profit.

Cracow Christmas cribs are still popularly made, owing to the annual crib competition organized in Cracow from 1937 under the patronage of municipal authorities as well as the Historical and Ethnographic Museums.

Every year, with the only interruption during the Second World War, the works of many crib artists are displayed in Cracow Market Square under the monument to Adam Mickiewicz in the first days of December. Huge multi-storey structures as well as miniature, a few centimeter-tall buildings made with great precision and mastery, true works of art in model-making and ornamentation, can be admired there.

Widowiska herodowe

Ludowe jasełka odgrywane bywały także przez amatorskie, wędrowne zespoły osobowe, aktorskie, grupy zwane *herodami* (od imienia tytułowej postaci), złożone ze starszych chłopców i młodych mężczyzn, którzy w okresie świątecznym chodzili od domu do domu z przedstawieniem o złym królu Herodzie,

Herody shows

Folk nativity plays were also performed by amateur wandering troupes of actors known as *herody*, from the name of the leading antagonist, Herod. They consisted of older boys and young men, who went from house to house at Christmas time giving a performance on the evil king Herod who viciously

■ *Z szopką. Rys. W. Pociecha, „Kłosy", 1883 r.*

■ *With a Crib; drawing by W. Pociecha in the "Kłosy," 1883*

jego niegodziwym spisku na życie Dzieciątka Jezus, niebywałej zbrodni, jaką była rzeź niewiniątek i wreszcie o śmierci króla (po daremnych pertraktacjach z nieprzekupną śmiercią) i o tryumfie diabła, który pod koniec widowiska zabierał jego duszę do piekła.

Z czasem dzięki obchodom kolędniczym wykreował się interesujący teatr ludowy, który jeszcze w okresie międzywojennym, a nawet w pierwszych latach po drugiej wojnie światowej, zwłaszcza na wsi był ogromnie popularny i lubiany.

Obecnie tradycyjne obchody kolędnicze należą do rzadkości. Można się natomiast spotkać jeszcze z ciekawymi inscenizacjami tych obchodów i pełnymi inwencji występami zespołów regionalnych, które w swym repertuarze mają tradycyjne widowiska kolędnicze prezentowane na dorocznych imprezach: przeglądach, konkursach i festiwalach folklorystycznych.

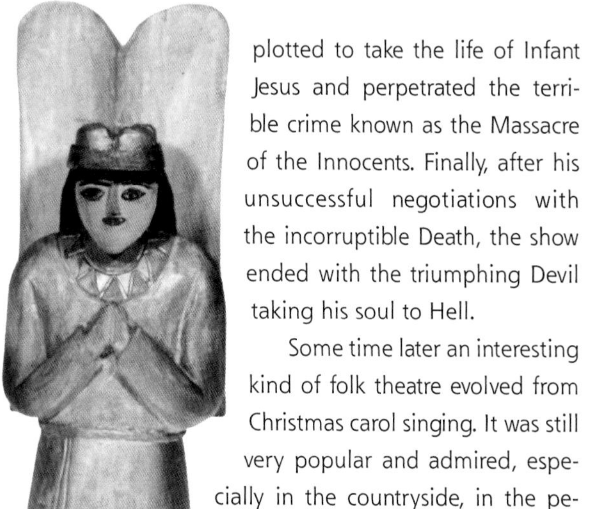

plotted to take the life of Infant Jesus and perpetrated the terrible crime known as the Massacre of the Innocents. Finally, after his unsuccessful negotiations with the incorruptible Death, the show ended with the triumphing Devil taking his soul to Hell.

Some time later an interesting kind of folk theatre evolved from Christmas carol singing. It was still very popular and admired, especially in the countryside, in the period between the two world wars and the first years after the last war.

Today Christmas carol singers are seen very rarely. However, there are some interesting stage adaptations of this custom and some inventive regional folk bands include traditional carol singing shows in their repertoire. They are presented at such annual events as reviews, competitions and festivals of folklore.

■ *Figurki jasełkowe, król Herod i anioł. Wykonał J. Żabowski, 1975 r.*

■ *Grupa „Herodów" z Modlnicy pod Krakowem. Fot. K. Chojnacki*

■ *Nativity play characters: King Herod and Angel; by J. Żabowski, 1975*

■ *The Herody carollers from Modlnica near Cracow; photo by K. Chojnacki*

▪ Sylwester i Nowy Rok

– 31 grudnia i 1 stycznia

Dzień, a przede wszystkim wieczór poprzedzający Nowy Rok nazywamy sylwestrem. Taką samą nazwę noszą wszystkie nocne zabawy i toasty na powitanie Nowego Roku. Ich pochodzenie wyjaśnia legenda.

Według proroctwa Sybilli w 1000 roku miał nastąpić koniec świata za sprawą smoka Lewiatana, uwięzionego w lochach Watykanu w IV wieku przez papieża Sylwestra I. Potwór zakneblowany papieską pieczęcią miał spać kamiennym snem, aż do końca tysiąclecia. Natomiast w 1000 roku, o północy, miał się zbudzić, zerwać łańcuchy i swym ognistym oddechem spalić niebo i ziemię. Gdy więc dobiegał końca 999 rok, a kolejny papież przybrał imię Sylwestra II, w Rzymie i całej chrześcijańskiej Europie zapanowało wielkie przerażenie, ludzie czynili pokutę czekając na śmierć w płomieniach. Ale kiedy wybiła północ, a Lewiatan nie ukazał się na moście Świętego Anioła, zaś Watykan i Rzym były bezpieczne, rozpacz i przerażenie przemieniły się w wielką radość. Ludzie tańczyli na placach i ulicach, śmieli się, pili wino i palili ognie. Zaś papież Sylwester II (tak jak później wszyscy jego następcy) udzielił błogosławieństwa *urbi et orbi* – miastu i światu, na nowy rok, nowy nadchodzący wiek i nowe tysiąclecie. Dlatego właśnie ostatni dzień roku i towarzyszące mu zabawy, bale i korowody, uczty i maskarady nazywamy sylwestrem.

W Polsce zabawy i bale sylwestrowe są znacznie późniejsze. Jeszcze w XIX wieku należały do rzadkości. Początkowo urządzano je w miastach, i to tylko w najbogatszych domach.

▪ New Year's Eve and New Year's Day

– 31 December and 1 January

New Year's Eve is the day before New Year, and the night in particular is marked by balls and parties all around to celebrate and greet New Year, which may last till morning. Their origin is explained by a legend.

According to Sybil's prophecy, the end of the world was to take place in 1000, brought forth by the dragon Leviathan. Imprisoned by Pope Sylvester I in the dungeons of Vatican, the beast was supposed to sleep like a log till the end of that millennium.

But it was to wake up at midnight beginning the year 1000, break off its chains and burn the earth and the sky with its fiery breath. When the year 999 was about to end and the successive pope adopted the name of Sylvester II, a great horror set in Rome and the whole Christian Europe. People made repentance waiting for a death in flames. When midnight hour struck, no Leviathan appeared on Ponte Sant'Angelo. Vatican and Rome were still safe and people's despair turned into a great joy. They danced in the streets, laughed and drank wine around bonfires. Pope Sylvester II, as later did all his successors, issued his blessing *Urbi et orbi* – to the city and to the world – for the new year, new century and new millennium. This is why the last day of each year with its revelries, balls and parades, feasts and mascarades, in Poland is called *Sylwester*.

But New Year's Eve balls and parties came to Poland much later than that. They were still rare in the 19th century and the custom began to develop in cities, usually in the richest houses.

■ *Z powinszowaniem Nowego Roku. Mal. S. Tondos, pocztówka*

■ *A Happy New Year; painted by S. Tondos, a card*

W przeszłości w Polsce, zwłaszcza na wsi, wieczór sylwestrowy przypominał nieco wieczór wigilijny, tyle że podczas tej wieczerzy nie zachowywano postu i nie dzielono się opłatkiem.

W wielu domach, w przeddzień Nowego Roku pieczono całe stosy małych chlebków i bułeczek zwanych *bochniaczkami* lub *szczodrakami*. Obdzielano nimi domowników, na zdrowie i pomyślność oraz bydło w oborze – żeby się dobrze hodowało. Był to także zwyczajowy poczęstunek dla sąsiadów, gości i kolędników, przychodzących z życzeniami w dzień Nowego Roku.

Na Kurpiach, Podlasiu, części Warmii i Mazur zarówno w wigilię Nowego Roku, jak i w przeddzień święta Trzech Króli pieczono z ciasta figurki zwierząt: byczki, koniki, gąski, pieski, świnki itp. Pieczono tam także tzw. *nowe latka*, krążki z ciasta, z przylepionymi figurkami zwierząt, zaś w samym środku umieszczano figurkę ludzką wyobrażającą gospodarza, gospodynię, pasterza lub myśliwego.

In the past, New Year's Eve night especially in the country resembled Chrismas Eve night. It differed only in two respects: there was neither fast nor sharing a wafer.

On New Year's Eve day in many households huge piles of small loaves of bread and rolls were baked, called "loafies" or "bounties". They were given out to household members to bring them good health and prosperity as well as to cattle in a cow-shed to breed well. Neighbours, other guests and carol singers visiting the house with best wishes for a New Year's Day were treated with a meal.

In the Kurpie, Podlasie, a part of Warmia and Mazuria regions both New Year's Eve and the eve of Epiphany were celebrated with baking cake figures of animals: bulls, horses, geese, dogs, pigs and the like. There were also round "new year cookies" with animal figures stuck to them and a human figure of a farmer or farmer's wife, a shepherd or hunter put in the middle.

- *Byśki – kurpiowskie pieczywo obrzędowe na Nowy Rok*
- *Kolędnicy przed dworem. Mal. B. Rychter-Janowska, pocztówka*

- *Ceremonial bread for New Year from the Kurpie region*
- *Carollers in front of a Manor-house; painted by B. Rychter-Janowska, a card*

Zwierzątka z ciasta rozdawano wszystkim domownikom, a przede wszystkim dzieciom, zaś *nowe latka* wieszano na honorowym miejscu, np. nad ołtarzykiem domowym, aby zapewniały szczęście i dobrobyt przez cały rok.

Niegdyś w Nowy Rok, tak jak w całym okresie świątecznym, do domów przychodzili kolędnicy, a wśród nich grupy, które pojawiały się wyłącznie w ten właśnie dzień.

Byli to np. mali chłopcy z biednych rodzin, chodzący po kweście, czyli jak mówiono po szczodrakach; w zamian za wierszowane powinszowanie otrzymywali z rąk gospodyni, wspomniane wcześniej bułki szczodrakowe.

Na południu Polski (na ziemi sądeckiej i rzeszowskiej) w dzień Nowego Roku z życzeniami przychodzili także kawalerowie, zwani *drabami*, ubrani w wysokie słomiane czapki, przepasani słomianymi powrozami. Kiedy przekroczyli próg domu, podskakiwali, wykrzykiwali głośno noworoczne życzenia i płatali różne figle, a nawet wyrządzali szkody, ale wszystko im wybaczano, ponieważ wierzono powszechnie, że ich wizyta zapewnia domowi i domownikom różne korzyści oraz szczęśliwy i dostatni rok.

W kilku wsiach leżących w południowo-zachodniej części Beskidu Żywieckiego (głównie w Zabłociu k. Żywca, Lalikach, Zwardoniu, Kamesznicy, Żabnicy, Rycerce i Soli) w dzień Nowego Roku, i tylko w ten dzień, od wczesnych godzin rannych biegają ulicami duże grupy przebierańców: diabły, niedźwiedzie, kozy, dziad i baba, Cygan i Cyganka, Żyd i Żydówka, śmierć z kosą, a także, ksiądz, fryzjer, policjant, fotograf, kominiarz, jeźdźcy na koniach i pachołkowie oraz wiele innych postaci w zabawnych zrobionych własnoręcznie kolorowych

Animal-shaped cookies were distributed to all house dwellers, mostly to children, while new year cookies were hung in a most exposed place, for example above the home altar, to bring happiness and well-being through the whole year.

In the past, carol singers used to come on New Year's Day like during the whole Christmas season. There were some groups formed specially for that day. They usually consisted of small boys from poor families who went about asking offerings in return for rhymed wishes they said to a householder's wife. She would gratify them with the earlier mentioned rolls.

In the south of Poland (the Sącz and Rzeszów lands) bachelors used to come on New Year's Day to say their wishes, wearing tall hats made of straw and their waist tied around with straw rope. After stepping in the house, they jumped and shouted out their New Years' wishes, played tricks and could even do some damage, but they were forgiven all that, for it was commonly believed their visit would bring the house and its dwellers many profits and a happy and rich year.

In several villages in the south-western part of the Żywiec Beskid (especially at Zabłocie near Żywiec, Laliki, Zwardoń, Kamesznica, Żabnica, Rycerka and Sól, on New Year' Day (and only on this day) large groups of people ran the streets from early morning dressed-up as devils, bears, goats, old couples, couples of Gypsies and Jews, a death with a scythe, as well as a priest, barber, policeman, photographer, chimney-sweeper, horse riders and grooms and many other figures in funny,

- *Figurka jasełkowa, żołnierz. Wykonał J. Żabowski, 1975 r.*
- *Figurka jasełkowa, diabeł*
- *Kolędnicy. Rys. M.E. Andriolli*

- *A nativity play character of Soldier; by J. Żabowski, 1975*
- *A Devil from nativity play*
- *Carollers; drawing by M.E. Andriolli*

kostiumach i maskach. Są to dziady noworoczne, wesołe i hałaśliwe, zabawiające widzów strzelaniem z batów, podskokami, zręcznością, szybkim tańcem.

W tych samych okolicach w Nowy Rok chodzili tzw. *szlachcice*, kilkuosobowa grupa o niewyjaśnionej dotąd nazwie i pochodzeniu: szlachcic przechwalający się swym pochodzeniem, masarz – oferujący swoje usługi, góral popisujący się śpiewem i tańcem, Żyd, Żydówka i in.

* * * *

Obecnie o północy, którą w Warszawie obwieszcza salut armatni, a w Krakowie historyczny dzwon Zygmunta, na ulicach zapalają się sztuczne ognie, pękają z hukiem petardy, strzelają korki od szampana i wszyscy wznoszą toast noworoczny.

W Nowy Rok starym zwyczajem składamy sobie życzenia. Powszechnie używany w Polsce zwrot *Do Siego Roku* tłumaczy się różnie: jako życzenia dostatniego, szczęśliwego roku albo doczekania sędziwych lat, jak rzekomo żyjąca przed wiekami, długowieczna Dorota, zwana zdrobniale Dosią.

colourful, self-made costumes and masks. They were called New Year's *dziady* (old beggars). Those noisy and merry folks entertained their spectators with cracking whips, jumping, acrobatics and swift dancing.

In the same area a group of a few people known as "the nobles" (their origin remains still unknown) wandered about on New Year's Day: a nobleman boasting his noble descent, a butcher offering his services, a highlander showing off his song and dance skillls, a Jew and Jewess etc.

* * * *

Nowadays, midnight is greeted with a canon salute in Warsaw and the historic Sigismund bell's sound in Cracow. Fireworks are lit in the streets, firecrackers bang, champagne corks pop and everyone drinks to a new year.

On New Year's Day it is customary to pass wishes to one another. The common wishes include *Do Siego roku*, which is a general expression of wishing a wealthy, happy year or living to such a great, venerable age as that famous Dorothy who was called Dosia.

- *Kapela przed dworem. Mal. A. Setkowicz, pocztówka*
- *Nowe latko – kurpiowskie pieczywo obrzędowe na Nowy Rok*

- *A Band in front of a Manor-house; painted by A. Setkowicz, a card*
- *Ceremonial bread for New Year from the Kurpie region*

■ Święto Trzech Króli – 6 stycznia

Wielkie święto kościelne Objawienia Boga, po grecku zwane Epifaneją, obchodzone było już w III wieku. Na Wschodzie pierwsi chrześcijanie świętowali Boże Narodzenie właśnie w dniu 6 stycznia, bo według tradycji Bóg wówczas ukazał się światu i ludzkości w osobach Trzech Wschodnich Mędrców.

W IV wieku po wprowadzeniu do liturgii Kościoła Rzymskiego (Zachodniego) święta Bożego Narodzenia, święto Objawienia – inaczej Trzech Króli – stało się oddzielną uroczystością, obchodzoną na pamiątkę hołdu jaki Mędrcy Wschodu, Kacper, Melchior i Baltazar, oddali nowo narodzonemu Jezusowi.

W Polsce z tym świętem wiązały się niegdyś różne zwyczaje domowe. Dzień ten zamykał cykl dwunastu dni szczodrych (od 26 grudnia do 6 stycznia), był więc dniem poczęstunków, odwiedzin, wręczania sobie drobnych darów. W tym wesołym dniu do domów przychodzili kolędnicy (różne grupy), a wśród nich Trzej Królowie w złotych tekturowych koronach i szatach ze starych ornatów wypożyczonych z kościelnej zakrystii. Tak jak pozostali kolędnicy składali życzenia gospodarzom i przymawiali się o datki.

Na pamiątkę darów: mirry, kadzidła i złota, które przed wiekami Trzej Wielcy Monarchowie ofiarowali Dzieciątku Jezus, w dniu ich święta królowie i wielmoże polscy zwyczajowo obdarowywali swych dworzan. Za dobre sprawowanie prezenty otrzymywała służba dworska. Niekiedy upominki wymieniali pomiędzy sobą krewni z zamożnych rodzin. We wszystkich domach, w miastach i na wsi, dzieciom rozdawano łakocie, głównie czerwone jabłka i orzechy, aby miały zdrowe rumieńce i mocne zęby.

■ Epiphany – 6 January

The important church feat of God's Revelation was celebrated as early as the 3rd century. The early Christians in the East celebrated Christmas on 6 January, for according to tradition, God manifested Himself to the world and the humanity as represented by the Three Wise Men, or Magi.

In the 4th century, after the introduction of the Christmas feast to the liturgy of Roman (Western) Church, Epiphany, in Poland known as Three Kings' Day, became a separate holiday celebrated in memory of the tribute paid to the newborn Jesus by the Wise Men from the East: Caspar, Melchior and Balthasar.

Various domestic customs were once observed in Poland on this day, which closed the period of "twelve bountiful days" from 26 December to 6 January. It was a day for visits, treats and handing out small gifts. On this merry day various kinds of Christmas carol singers came round and this time they included the Three Kings in golden crowns of cardboard and worn-out chasubles borrowed from church sacristy. As usual, they gave their wishes to household members and asked for some offerings.

To commemorate the gifts that the three great kings presented to Infant Jesus: gold, frankincense and myrrh, on their feast Polish kings and magnates used to pass gifts to their own courtiers. Court servants also received gifts for their good work and conduct. Sometimes relatives in wealthy families exchanged gifts, too. In all houses, in towns and villages alike, children were given treats, mostly red apples and nuts, so they would have healthy glowing cheeks and strong teeth.

■ *Hołd Trzech Króli, wycinanka łowicka,*

■ *The Magi, a cut-out from Łowicz*

■ *Trzej królowie podążający za gwiazdą. Mal. W. Betley, pocztówka*

■ *The Magi Following the Star; painted by W. Betley, a card*

W tym dniu nikomu nie skąpiono jedzenia i jałmużny. Wszystkich przybyszów ugaszczano i rozdawano im szczodrakowe bułki. Na Kurpiach i Mazurach, jak w wigilię Nowego Roku, pieczono zwierzątka z ciasta i *nowe latka*.

No one was refused food or money on that day. All visitors were treated and handed out bounty rolls. In Kurpie and Mazuria, animal figures and new year cookies were baked, like on a New Year's Eve.

****

W miastach i na szlacheckich dworach w wieczór Trzech Króli bawiono się w wybory króla migdałowego. Zabawa ta popularna w zachodniej Europie, m.in. we Francji i Anglii, z czasem przyjęła się także i w Polsce. W wyborze króla migdałowego pomocne bywały specjalne ciasta: pierniki i słodkie rożki. W jednym z nich ukrywano migdał, a osoba, która go znalazła, obwoływana była królem migdałowym. W ten sam sposób odbywały się wybory królowej migdałowej. Para królewska zajmowała honorowe miejsce przy stole. Prócz tego zaszczytu miała także obowiązki towarzyskie – musiała zabawiać gości i organizować im zabawę.

On Epiphany evening in towns and manor houses an almond king was elected. The game, popular in western Europe, e.g. in France and England, soon came into fashion also in Poland. To choose an almond king, special cakes were prepared. They were gingerbreads and sweet scones, and an almond was hidden inside one of them. The person who found it became an almond king. An almond queen was chosen in the same way. The "royal couple" took honourable seats by the table. Apart from honours, they also had some social obligations: to entertain guests and ensure good fun for them.

****

Obecnie święto Trzech Króli to przede wszystkim uroczystość kościelna, podczas której święci się kawałki kredy i mirrę (zioła zmieszane z żywicą).

Dotychczas wiele osób pisze poświęconą w kościele kredą datę: bieżący rok oraz poprzedzielane krzyżykami pierwsze litery imion Trzech Króli, Kaspra, Melchiora i Baltazara: K + M + B (lub C + M + B) i datę bieżącego roku. W innej interpretacji jest to skrót łacińskiej sentencji *Christus mansionem benedicat* (Niech Chrystus pobłogosławi ten dom).

These days Epiphany is chiefly a religious feast celebrated in church, whereupon pieces of chalk and myrrh (herbs mixed with resin) are blessed by a priest.

Many people still continue the custom of writing with the consecrated chalk on their front door the current year (or sometimes the exact date) and the initials of the Three Kings: K + M + B, for Caspar, Melchior and Balthasar in Polish. Or it may be C + M + B, which is also interpreted as *Christus mansionem benedicat* (Let Christ bless this house).

■ *Matka Boska Gromniczna ze świecą i wilkami, pocztówka*

■ *Our Lady of Beeswax Candle with a candle and wolves, a card*

Matki Boskiej Gromnicznej - 2 lutego

Candlemas - 2 February

Święto Ofiarowania Pańskiego i Oczyszczenia Najświętszej Marii Panny

Feast of the Presentation of Jesus at the Temple and the Purification of the Virgin

■ Niegdyś uroczystość ta zamykała liturgiczny cykl świąteczny Bożego Narodzenia. W tym dniu po raz ostatni w kościołach rozbrzmiewają kolędy, a podczas wszystkich nabożeństw święci się woskowe świece zwane gromnicami. W całej Polsce wiele osób uczestniczących we mszy niesie z kościoła do domu zapalone gromnice – poświęcony, pobłogosławiony płomień. W tradycji Kościoła płomień gromnicy symbolizuje światło wiary, łaskę Bożą i światłość wiekuistą. Zapalano ją więc zawsze w godzinę śmierci i wkładano w ręce konającego, aby prowadziła go do wiecznego zbawienia.

W tradycji ludowej – gromnica miała bronić ludzi przed groźnymi żywiołami, przed burzą, uderzeniem pioruna i ogniem. Wierzono, że posiada moc odwracania gromów i błyskawic i stąd właśnie wzięła się jej ludowa nazwa oraz nazwa święta.

Po powrocie z kościoła płomieniem poświęconej gromnicy robiono znak krzyża na belkach stropowych. W czasie burzy zapaloną gromnicę stawiano w oknie lub na stole, wokół którego gromadzili się i modlili wszyscy bez wyjątku domownicy, nawet małe dzieci, obchodzono z nią dom i całe obejście.

Gromnica miała także zastosowanie w różnych praktykach leczniczych. Na Podlasiu np. ogniem przyniesionej z kościoła gromnicy opalano dzieciom końce włosów, aby ustrzec je przed zapaleniem uszu. Natomiast na ziemi rzeszowskiej gromnicę okręcano pasemkiem lnianej kądzieli, później poświęcone na gromnicy pasemko lnu palono nad chorymi, cierpiącymi na

■ This feast once marked the closing of the liturgical cycle of Christmas season. In churches, it is the last day when Christmas carols are sung, and beeswax candles are blessed at each service. All over the country people who participate in a mass carry a burning candle from church to thier home, in order to take the blessed flame there. In the church tradition, the flame of this candle symbolizes the light of faith, God's grace and perpetual light. The candle was usually lit at the time when someone was dying and it was put in his or her hands to lead them to eternal salvation.

In the folk tradition the candle from Candlemas was believed to protect people from dangerous elements, like storm, thunderbolt or fire. It possessed the power to avert the danger of being struck by lightning, and hence its Polish name *gromnica* (from *grom*: thunder).

After coming back home from the mass, people made the sign of the cross with the flame on ceiling beams. During a storm they lit their *gromnica* and put it on the window sill or table, while all family members, including small children, gathered around the table for prayer; then they carried the candle around the house and farm.

The candle was also used for some medicinal purposes. For instance in Podlasie the flame of the candle carried from church was used for burning children's hair tips to prevent them from ear inflammation. In the Rzeszów region the candle was tied around with a strip of flax fibre and afterwards the blessed fibre was burned over ill people, suffering from infectious erythema, in the hope the illness would burn. It was

Matka Boska Gromniczna, Ochotnica Górna (Gorce), Z. Gloger „Rok polski w życiu, tradycji i pieśni"

Our Lady of Beeswax Candle, Ochotnica Górna (in the Gorce Mts); in Z. Gloger's "The Polish Year in Life, Tradition and Song"

różne zakaźne rumienie, w przekonaniu że w ten sposób spalą się: róża, płomienica i inne choroby przebiegające z ostrym, zapalnym odczynem skóry. Po zgaszeniu gromnicy profilaktycznie połykano jej dym, wierząc, że zapobiegnie to bólowi gardła i próchnicy zębów.

W polskiej tradycji ludowej zachowały się różne piękne legendy o Matce Boskiej Gromnicznej, która w lutową noc chodzi po miedzach i polach, pilnuje ozimin, aby nie wymarzły, świecąc gromnicą rozprasza ciemności i pomaga znaleźć drogę zbłąkanym wędrowcom, dogląda ludzkich obejść i broni je przed wilkami. Ale zziębniętym i wygłodniałym wilkom także okazuje swoją łaskawość. Znana jest legenda o wilku gromnicznym, skruszonym i obłaskawionym przez Matkę Boską, który towarzyszy i służy Jej podczas nocnych wędrówek.

Mówi się także, że święto Matki Boskiej Gromnicznej wyznacza połowę zimy i że w tym dniu, nawet przy mroźnej pogodzie, powinien odezwać się skowronek, a śpiący w ziemi robak obraca się na druga stronę, a zatem sposobi się pomału do opuszczenia swojej zimowej kryjówki. Dzień ten zapowiadał więc zbliżającą się wiosnę, chociaż nie było jeszcze wyraźnych jej oznak.

practiced for erysipelas, diphtheria and other inflammatory diseases accompanied with severe rash. When the candle was put out, its smoke was swallowed, as it was believed it would prevent one from sore throat and caries.

Polish folk tradition has preserved some beautiful legends of connected with Our Lady of the Beeswax Candle, as the feast is called in Poland. On a February night she walks round fields and bounds looking after winter crops not to let them freeze; she lights up the dark with a beeswax candle and helps lost wanderers find their way; she keeps watch on human settlements and protects them from wolves. But she is also merciful to hungry, freezing wolves. In one legend a wolf is tamed by the Virgin Mary at Candlemas; it feels remorse and becomes her companion and helper on her night wandering.

Candlemas is regarded to mark mid-winter time. On that day, be it even a frosty one, a lark starts singing and a sleeping worm turns round deepin the soil, slowly getting ready for coming out from its underground hiding. So this is the day that heralds spring despite no signs of it yet visible.

■ *Święto Matki Boskiej Gromnicznej w Ochotnicy Górnej. Fot. K. Chojnacki*

■ *The feast of Our Lady of Beeswax Candle at Ochotnica Górna; photo by K. Chojnacki*

Ciechanowskie zapusty. Fot. K. Chojnacki

Carnival at Ciechanów; photo by K. Chojnacki

Karnawał, zapusty, ostatki
Carnival, Shrove Tuesday

■ Nazwa „karnawał" pochodzi od łacińsko-włoskiego terminu *carnavale*, którego człony caro (carne) – mięso i *vale* – bywaj zdrów w wolnym przekładzie oznaczają razem pożegnanie mięsa, a wraz z nim wszelkiego rodzaju uczt, hulanek i zabaw oraz nieuchronne zbliżanie się Wielkiego Postu – okresu umartwień i pokuty.

Czas ten upływał pod znakiem zabaw, tańców, uczt, maskarad i ogólnej wesołości, liczony był od Nowego Roku lub święta Trzech Króli do wtorku, zwanego kusym, czyli diabelskim, poprzedzającym środę popielcową.

Karnawał polski nazywano zapustami i nazwy tej używano albo dla całego okresu od Nowego Roku do Wielkiego Postu, albo tak określano ostatnie, najbardziej szalone dni przed Popielcem. Te trzy ostatnie dni nosiły także nazwę mięsopust (od słów mięsa – opust, czyli pożegnanie mięsa), nazywano je również ostatkami, kusymi (diabelskimi) lub zapustnymi dniami.

W Polsce, tak jak w innych krajach Europy, był to czas poczęstunków, tańców, zabaw i swawoli.

Na wsi i w mieście, we wszystkich stanach bawiono się i stosownie do możliwości dużo i tłusto jedzono i wypijano wiele mocnych trunków.

W wyższych stanach urządzano wystawne uczty i bale, a wśród nich modne w Polsce, już w XVI wieku kostiumowe

■ The name „carnival" derives from Latin and Italian *carnavale*, which consists of *carne* i.e. meat, and *vale* – "so long!". Together they can be interpreted as "goodbye to meat", and along with it to all feasts, parties and revelries, while the inevitably approaching Lent is the time of mortification and repentance.

The season of partying and dancing, feasting, masquerading and general merrymaking lasted from New Year's Day or Epiphany till Tuesday before Ash Wednesday, here sometimes called Devil Tuesday.

Polish carnival, or *zapusty*, covered the period from New Year till Lent, but the term was mostly used to describe the last days before Lent, the most crazy time. Another Polish name for the last three days of carnival, *mięsopust*, also relates to a farewell to meat.

Like in other countries of Europe, in Poland carnival was the time of all kinds of playfulness, eating, drinking and rollicking.

In towns and villages, people of every class and state revelled suitably to their possibilities; they ate a lot of fat food and drank a lot of strong beverages.

In higher social strata, sumptuous banquets and balls were organized, including fancy-dress balls and masquerades, fashionable in Polish courts as early as the 16th century. Noblemen in Old Poland had their favourite form of carnival entertainment: a sleighing party. Guided by a leader of

i maskowe bale dworskie. Do ulubionych staropolskich rozrywek karnawałowych należały kuligi szlacheckie – prowadzone przez wodzireja od dworu do dworu; w każdym na gości czekała uczta i przygotowane do tańca salony.

✳✳✳✳

Wesoły i huczny był również karnawał chłopski. W zapusty także na wsi zabawę stawiano ponad wszystko.

Karnawał chłopski pod każdym względem był niezwykły. Na wsi z zabawami zapustnymi wiązały się bowiem stare i bardzo ciekawe zwyczaje i obrzędy płodności i urodzaju, które mieszkańcy wsi, obyczajem swych przodków, odprawiali u schyłku zimy.

Najweselej i najhuczniej obchodzono ostatni tydzień karnawału, od tłustego czwartku, po ostatni kusy wtorek. Tłusty, inaczej combrowy czwartek, upływał na jedzeniu i piciu. We wszystkich domach gotowano dużo obficie kraszonego jadła, kaszy i kapusty, stawiano na stołach chleb, słoninę i sadło, a u ludzi bogatych również mięso i kiełbasy.

ceremony, they ran from manor to manor. In every one of them a dancehall and a feast was waiting ready for the guests.

✳✳✳✳

Peasant carnival was playful and noisy as well. Village people also valued entertainment more than anything else. It was an unusual period of time in every respect. In the country, carnival customs were connected with some most interesting old rites of fertility and good harvest. Village people followed their ancestors in celebrating them at the close of winter.

The last week of carnival, from Fat Thursday till last Tuesday before Lent, was the most exuberant time. Fat Thursday, the last Thursday before Lent, was a day devoted to eating and drinking. In every household an abundance of food was cooked and lavishly seasoned with fats. There was porridge and cabbage, plenty of bread and pork fat on the tables, and in rich people's houses also meat and sausage.

On Fat Thursday no village kitchen should run out of fresh deep-fried sweet fritters and blintzes, while in towns and mansions they had doughnuts and *faworki* (angels wings).

W tłusty czwartek nigdzie nie mogło zabraknąć smażonych na tłuszczu słodkich racuchów i blinów, a w miastach i na dworach: pączków i chrustów (zwanych faworkami). Już w XVII i XVIII wieku wyrobem tych karnawałowych przysmaków chlubili się cukiernicy warszawscy. Dotychczas są to przysmaki, którymi „obowiązkowo" zajadamy się w tłusty czwartek, a przed cukierniami (zwłaszcza renomowanymi) ustawiają się długie kolejki kupujących.

W przeszłości combrowy czwartek – był dniem zabaw kobiecych. Celowały w nich przekupki krakowskie. Powiadano, że ten ostatni karnawałowy czwartek wziął swoją nazwę od nazwiska krakowskiego wójta Combra, który nękał handlarki rozstawiające swoje kramy na rynku krakowskim i karał je za najbłahsze przewinienie. W rocznicę śmierci wójta, rzekomo w tłusty czwartek, krakowskie kramarki, służące i wyrobnice urządzały sobie wielką zabawę, która z czasem stała się dorocznym zwyczajem krakowskim. Wybierały spośród siebie marszałkową i za krzywdy, jakich doznały niegdyś od wójta Combra, brały odwet na wszystkich przechodzących mężczyznach, a zwłaszcza nieżonatych: wprzęgały ich do kloca i kazały go ciągnąć, ściągały z nich szuby i futra, włóczyły po rynku najpoważniejszych nawet mieszczan krakowskich i zmuszały ich do tańca i skoków, tak długo, aż wykupili się brzęcząca monetą.

Confectioners from Warsaw boasted the manufacture of these carnival treats as early as the 17th-18th centuries. It is now still a must to take them in large amounts on Fat Thursday. Sometimes long queues form in front of confectioner's shops, especially the most renowned ones.

In the past, Fat Thursday was a day of women's entertainment. A funny tradition was started by Cracow female street vendors. There was a mayor of Cracow named Comber who pestered those street vendors, and they had stalls in Cracow Market Square. He fined them for trivial things. Since he died on one Fat Thursday, Cracow vendors, servants and other workwomen had always celebrated his death anniversary with a great party, which soon became a Cracow custom. They would choose a maréchale from among themselves and they took revenge on all men passing by, bachelors in particular, for all the harms they once suffered from Mayor Comber. They harnessed these men to a log and made them haul it, pulled off their *szubas* and fur coats and thus molested the most respected Cracow burghers, forcing them to jump and dance until they bought themselves out with ringing coins. That was probably the reason that last Thursday of the carnival was also called Comber Thursday.

✳✳✳✳

Tłusty czwartek, był jednak tylko wstępem do hucznych zabaw i różnych dziwacznych praktyk, które odbywały się w ostatnie trzy dni karnawału. Podczas tych dni starano

But Fat Thursday was only an introduction to all those great parties and various strange things people did in the last three days of carnival. They tried to eat their fill before the coming Lent, to dance, laugh, play and shout at their most. They would dance themselves to death in houses and inns and parades of merry dressed-up crowds enlivened country roads and city and town streets. It was a rule to put on fancy clothes or a mask or at least to paint one's face black with soot. In the countryside, where the old customs lasted longest, you would meet various characters, including animals known from the earlier Christmas carol singing, e.g. a goat, bear, stork or crane. In cities, streets

się najeść do syta (przed zbliżającym się wielkim postem), wytańczyć, wyśmiać się, wybawić i wykrzyczeć. Tańczono do upadłego w domach i karczmach, a na wiejskie drogi i ulice miast i miasteczek wychodziły pochody rozbawionych przebierańców. Przebieranie się w ostatki, nakładanie masek czy chociażby tylko czernienie twarzy sadzą było regułą. Na wsi, gdzie najdłużej zachowały się te dawne zwyczaje biegały różne postacie, a wśród nich postacie zwierząt, znane z wcześniejszych obchodów kolędniczych: koza, niedźwiedź, konik, bocian i żuraw. Na ulicach miast można było spotkać mężczyzn przebranych za kobiety, rogate zwinne diabły i inne cudacznie poprzebierane postacie zaczepiające przechodniów, porywające ich do tańca, ściskające i całujące, a przy okazji brudzące im twarze i ubrania sadzą.

✳✳✳✳

Ciekawe i oryginalne zwyczaje, nieznane w innych regionach Polski, zachowały się w Jedlińsku, niewielkim miasteczku na ziemi radomskiej. Są to tzw. jedlińskie kusaki, zabawy i parady przebierańców, trwające przez trzy ostatnie (kuse) dni karnawału, a kończące się w kusy wtorek wielkim widowiskiem – obrzędowym Ścięciem Śmierci. Widowisko to odgrywane było już w XVII wieku i być może nawiązywało do historii Jedlińska, któremu w XVI wieku nadano brandenburskie prawa miejskie, a wraz z nimi własne sądy i prawo wykonywania wyroków, także wyroków śmierci, czyli tzw. prawo miecza.

were peopled by men dressed up as women, very agile horned devils and other weird figures. They stopped passers-by inviting them to a dance, hugging and kissing them, at the same time staining their faces with soot.

✳✳✳✳

Some interesting and unique customs, unknown in other regions of Poland, have survived at Jedlińsk, a small town in the Radom county. Known as the Jedlińsk *kusaki*, these dancing parties and mask parades last for the three last days of carnival called *kuse* (short) days and they end in a great show on *kusy* Tuesday. It is a ritual decapitation of Death, a play performed from the 17th century, which may refer to the history of Jedlińsk. The town received its municipal rights based on the Brandenburg Law in the 16th century, and along with them the right to set up its own courts and carry out executions, or the so-called right of sword.

In the show, a court of justice consisting of heads of town and a jury sits in the market square and Death is brought to

■ *Ciechanowskie zapusty. Fot. K. Chojnacki*

■ *Carnival at Ciechanów; photo by K. Chojnacki*

■ *Jedlińskie kusaki, diabełki. Fot. K. Chojnacki*

■ *Jedlińsk kusaki, devils; photo by K. Chojnacki*

Przed trybunałem, w skład którego wchodzi burmistrz, wójt i ławnicy, zasiadającym na rynku, stawała Śmierć, która – jak głosił tekst przedstawienia – upiła się, zgubiła kosę i zasnęła na podmiejskiej grobli. Długi przewód sądowy, toczący się na oczach mieszkańców Jedlińska, kończy się zawsze wydaniem wyroku skazującego Śmierć na śmierć, przez ścięcie mieczem. Wyrok zostaje wykonany, a zwłoki Śmierci (tzn. jej białe szaty) złożone do trumny z surowych desek, którą następnie ustawia się na wozie. W kondukcie pogrzebowym postępuje (lub jedzie konno) kat, hałaśliwe diabły i inni przebierańcy. Kondukt udaje się najpierw na posterunek policji, aby złożyć meldunek o wykonaniu wyroku. Następnie na plebanię i tam prosi księdza o zapisanie w księgach parafialnych aktu zgonu Śmierci. Wszystko to odbywało się i wciąż odbywa wśród iście diabelskiego hałasu i wrzawy, bo biegnące w kondukcie i siedzące na trumnie diabły krzyczą

court. In the performance, she (Death is shown as a female in Poland) is accused of getting drunk, losing her scythe and falling asleep on a suburban dyke. A long trial carried out in front of Jedlińsk inhabitants always ends in pronouncing a death sentence on Death, by beheading with a sword. The verdict is executed and the corpse of Death, i.e. her white robe, is put in a coffin of plain boards, which is loaded on a cart. The funeral procession is accompanied by the executioner on foot or riding a horse, some noisy devils and other dressed-up people. The procession first goes to the police station to report on the execution. Then they proceed to the presbytery to ask the priest to write the death certificate of Death in the church books. The whole performance used to be and still is extremely noisy, for the devils running in the procession and sitting on the coffin shout and bang on its cover with fists and wooden sticks, and make a lot of additional

■ *Ciechanowskie zapusty. Fot. K. Chojnacki*

■ *Carnival at Ciechanów; photo by K. Chojnacki*

i walą w jej wieko pięściami i drewnianymi pałkami, a prócz tego czynią wielki łoskot potrząsając z całej siły drewnianymi kołatkami i terkotkami.

Wreszcie Śmierć wywozi się poza granice miasta. Wszyscy wracają na rynek i bawią się aż do północy, śpiewają, piją i tańczą.

****

Na zakończenie karnawału w Krakowie i wsiach podkrakowskich chodziły od domu do domu grupy przebierańców zwane *bachusami* lub *bekusami*, a przewodził im książę Zapust, w wysokiej papierowej czapce na głowie, w towarzystwie profesora z oślą głową, dziad i in.

Wszystkich zapustnych przebierańców przyjmowano chętnie, tolerowano ich psoty, bawiono się razem z nimi. Nie szczędzono im datków pieniężnych ani zapustnych smakołyków. Wierzono powszechnie, że ich wizyta gwarantuje dobre

noise with wooden rattles. Finally, Death is carried out of the town. Everybody returns to the market square and they make fun singing, dancing and drinking till midnight.

****

At the end of carnival in Cracow and the surrounding villages groups of masqueraders called *bachusy* went from house to house led by Prince Zapust in a tall paper hat, accompanied by a scholar with a donkey's head, an old beggar and others characters.

All dressed-up revellers were received gladly and their mischiefs were tolerated. People enjoyed their company, sparing neither money nor carnival treats for them. It was commonly believed their visit was a guarantee of good harvest. Their frolics were a harbinger of spring and the reawakening of life in nature.

urodzaje, a ich zabawy i harce zapowiadają rychłe już nadejście wiosny i budzenie się życia w przyrodzie.

✻✻✻✻

Jeszcze w XIX wieku w ostatni dzień zapustów, a niekiedy już w środę popielcową, dziewczyny i chłopców, którzy w czasie karnawału nie stanęli na ślubnym kobiercu i nawet się nie zaręczyli, wprzęgano do ciężkiego kloca (zwanego także kłodą popielcową) i zmuszano, aby ciągnęli ją aż do karczmy i tam wykupili się piwem lub wódką. Krzyczano głośno, że to kara za to, iż w odpowiednim czasie niepodjęli ciężarów i obowiązków stanu małżeńskiego i niezasłużenie przez rok cały będą się cieszyć swobodami stanu wolnego.

✻✻✻✻

Natomiast na Kujawach i w Wielkopolsce, dziewczyny, które „nie wydały się" podczas karnawału, brały udział w obrzędzie zwanym *podkoziołkiem*. W ostatni wtorek przed Popielcem zbierały się w karczmie, opłacały muzykę i tańczyły, podczas każdego tańca rzucając pieniądze na talerz, pod figurkę wyobrażającą

Until the 19th century on the last day of carnival and sometimes even on Ash Wednesday boys and girls who neither married nor even engaged during carnival were harnessed to a heavy Ash Wednesday log and forced to pull it to the inn to buy themselves out with beer or vodka. They were shouted at that it was a punishment for their avoidance to undertake the burdens and responsibilities of a married state and thier attempts to stay single for another year.

✻✻✻✻

In Cuiavia and Great Poland those girls who had not get married during carnival took part in a ritual called "under a goat". On Tuesday before Ash Wednesday they gathered in the local inn, paid for music and started dancing. During each dance they threw money onto a plate under a figure near the orchestra representing a boy or a goat, which symbolized virility and fertility. They were supposed to pay a ransom for their single state, at the same time expressing the intention to get married as soon as possible.

■ *Ciechanowskie zapusty. Fot. K. Chojnacki*

■ *Carnival at Ciechanów; photo by K. Chojnacki*

chłopca lub kozła (symbol męskości i płodności) ustawioną w pobliżu orkiestry. Mówiono, że dają swój *podkoziołek* czyli okup za uciechy stanu wolnego, a jednocześnie okup w intencji przyszłego, możliwie szybkiego zamążpójścia.

* * * *

Wszystkie zabawy, biesiady, tańce i muzyka, musiały nieodwołalnie zakończyć się o północy.

Wraz z wybiciem godziny 24, odkładano instrumenty, a czasami inscenizowano ich pochówek, na Górnym Śląsku zwany pogrzebem basów (instrument zawijano w płótno i z udawanym płaczem chowano w skrzyni). Na Kujawach, bawiący się w karczmie mężczyźni o północy chwytali przygrywającego im do tańca skrzypka i na taczkach wywozili go na miejsce rzekomego stracenia, zwykle na rozstajne drogi i tam pozorowali zabijanie grajka, uderzając go lekko workiem wypełnionym popiołem. Potem na miejscu „egzekucji" rozpalano wielkie ognisko. Czasami grajka (części garderoby męskiej, płaszcz i kapelusz oraz skrzypce) „wieszano" na drzwiach karczmy na znak, że od tej chwili musi bezwarunkowo zamilknąć muzyka, wesoła wrzawa, że trzeba zaprzestać tańca i zapustnych zabaw.

Innym znakiem nadchodzącego Wielkiego Postu i związanych z nim umartwień, kiedy to na długie tygodnie ze stołów miało zniknąć obfite i smaczne jedzenie, a głównie mięso i okrasa, był garnek z żurem, który o północy wnoszono do karczmy lub izby, w której odbywała się zabawa ostatkowa. Niekiedy na znak, że nastaje Wielki Post, na patyku wnoszono śledzia wyciętego z tektury lub rybi szkielet. Od tej pory cienki żur i śledź zajmą główne miejsce w domowych jadłospisach.

- *Ciechanowskie zapusty. Fot. K. Chojnacki*
- *Diabełki na jedlińskich kusakach. Fot. K. Chojnacki*
- *Ciechanowskie zapusty. Fot. K. Chojnacki*

* * * *

All parties, banquets, dance and music had to be definitely finished by midnight.

When twelve hour struck, instruments were put away and sometimes their mock-burial was acted out. In Upper Silesia it was a burial of the double-bass: an instrument was wrapped in cloth and buried in a chest with a lot of pretended crying. In Cuiavia, at midnight men amusing themselves in an inn grabbed the violin player and drove him away in a wheelbarrow to "a site of execution", usually to the crossroads. There, they pretended to kill him by hitting him lightly with a sack filled with ash. They lit a big bonfire at that site. Sometimes a player (i.e. his clothes, coat, hat and violin) was hung on a front door of the inn. It was a signal that the music and joyful clamour, all carnival dancing and partying had to stop immediately.

Another sign of the approaching Lent and all its mortifications, the time when lavish and tasty food, especially meat and fat, was to disappear from tables for long weeks, was a pot of sour rye soup, brought at midnight into the inn or room where a carnival party was taking place. Sometimes just a cardboard cutout of a herring or a fish skeleton was used to signal the beginning of Lent. Thin soup and herring would from then on take the main position in domestic menus.

- *Carnival at Ciechanów; photo by K. Chojnacki*
- *Devils at the Jedlińsk kusaki; photo by K. Chojnacki*
- *Carnival at Ciechanów; photo by K. Chojnacki*

Wszystkie te zwyczaje oznaczały pożegnanie karnawału, a także pożegnanie zimy i zbliżanie się przedwiośnia, odnowę wegetacji roślin po zimowym spoczynku i mające się już niebawem rozpocząć prace polowe.

Troskę o pomyślny przebieg tych prac wyrażały m.in. obrzędowe tańce kobiet, zwane na len i konopie, które do końca XIX wieku, a lokalnie nawet na początku XX stulecia praktykowane były w całej Polsce. Odbywały się one albo w ostatni karnawałowy, czyli „kusy" wtorek, a niekiedy w śodę popielcową.

Stateczne żony i matki zbierały się w karczmie i tańczyły, a właściwie wysoko i rytmicznie podskakiwały i głośno wołały:

Na len, na konopie, żeby się rodziły,
Żeby nasze dzieci nago nie chodziły!

Niekiedy w intencji „swoich" upraw wysoko skakali mężczyźni lub podrzucali pod sam sufit czapki wołając:

Na owies, na pszenicę, na żyto, na ziemniaki.

Zwyczaje i obrzędy zapustne, tak niegdyś liczne, różnorodne i bogate, w większości odeszły już w przeszłość. Tylko niektóre dotrwały do naszych czasów. Ciekawe inscenizacje dawnych pochodów i zabaw zapustnych można jeszcze zobaczyć na przeglądach zespołów regionalnych i dorocznych konkursach folklorystycznych.

All these customs signified a farewell to carnival and to winter. Early spring was coming, vegetation of plants would be soon resumed after their winter rest and field works would start again.

Some ritual women's dances "to flax and hemp", practiced till the end of the 19th century and locally till the early 20th century in all Poland, expressed concern about the successful carrying out of these works. The dances were performed on *kusy* Tuesday or sometimes even on Ash Wednesday.

All respected wives and mothers gathered in the inn to a dance, which was in fact only a high rhythmical jumping and shouting loud:

For flax, for hemp to give a good yield
So our kids don't run naked in the field.

Men sometimes joined the jumps in the intention of their crops or they tossed their hats up to the ceiling, exclaiming:

For oats, for rye, for potatoes.

Carnival rites and customs, once so numerous, rich and differentiated, have mostly been forgotten now. Only some of them have been preserved. Some interesting old parades and carnival parties are still seen acted out on stage at regional folklore festivals and annual competitions.

■ *Ciechanowskie zapusty. Fot. K. Chojnacki*

■ *Carnival at Ciechanów; photo by K. Chojnacki*

WIOSNA

21 III–20 VI

SPRING.

Głównym i najważniejszym świętem tej pory roku jest Wielkanoc i wszystkie związane z nią zwyczaje i obrzędy. W Polsce i we wszystkich krajach chrześcijańskich Wielkanoc jest największym, najuroczyściej celebrowanym świętem dorocznym i jednocześnie najważniejszą uroczystością wiosenną. We wszystkich zaś świętach tej pory roku splatają się i wzajemnie przenikają różne wątki – religijnym obchodom Zmartwychwstania Chrystusa towarzyszą odwieczne obrzędy powitania wiosny.

Wielkanoc, w pierwszych wiekach zwana Paschą, jest największym i najstarszym, bo najwcześniej ustanowionym świętem wszystkich chrześcijan, obchodzonym już na przełomie I i II wieku na pamiątkę zbawczej Męki, Śmierci i przede wszystkim Chwalebnego Zmartwychwstania Jezusa Chrystusa.

Nazwa Pascha pochodzi od starego, wielkiego wiosennego święta żydowskiego Pesach, odprawianego podczas pierwszej wiosennej pełni księżyca. W tym święcie, zgodnie z religijnym

Easter, with all its customs and rituals, is the most important feast of this season of the year. In Poland and all Christian countries it is the major and most celebrated annual holiday and the biggest one in the spring season. In each feast observed in this season various motifs are intertwined and permeate each other: the religious celebration of Christ's Resurrection is accompanied by ancient rites of greeting the spring.

Easter, called Pascha in the first centuries, is the oldest ever established feast of all Christians. It was observed at the turn of the 1st/2nd centuries to commemorate the saving martyrdom, death and glorious resurrection of Jesus Christ.

The name Pascha is derived from the old Jewish spring feast of Pesach, celebrated during the first full moon in the spring. Jesus Christ and all his relatives participated in this holiday every year, in accordance with the religious rules of orthodox Jews. Jesus arrived to Jerusalem together

■ *Pocztówka wielkanocna z okresu międzywojennego*

■ *An Easter card from the prewar time*

obyczajem prawowiernych Żydów, każdego roku uczestniczył Jezus Chrystus i wszyscy Jego krewni. Właśnie na święto Paschy (Pesach) Chrystus przybył wraz z uczniami do Jerozolimy, tam został ukrzyżowany i tam zmartwychwstał.

Wielkanoc należy do tzw. świąt ruchomych, tzn. każdego roku przypada w nieco innym terminie. Zgodnie z ustaleniami soboru nicejskiego (325 r.). Wielkanoc obchodzimy pomiędzy 22 marca i 25 kwietnia, w pierwszą niedzielę, po pierwszej wiosennej pełni księżyca. Wielkanoc wyznacza także terminy innych uroczystości i świąt kościelnych, obchodzonych wiosną – Zielonych Świąt i Bożego Ciała.

W Kościele jest to święto tryumfalne i radosne; święto wielkiej nadziei i obietnicy życia po życiu ziemskim, zmartwychwstania i nieśmiertelności.

Polska Wielkanoc (cykl świąteczny) to piękne podniosłe ceremonie i obrzędy kościelne, w których po dzień dzisiejszy uczestniczą tłumy wiernych oraz niezliczone barwne i wesołe zwyczaje domowe, gospodarskie i towarzyskie, spotkania, poczęstunki i beztroskie zabawy.

with His disciples for the feast of Pascha or Pesach, before He was crucified there and then resurrected.

Easter belongs to moveable feasts, which means it falls on different dates every year. According to the resolutions of the Council of Nice in 325, Easter is celebrated between 22 March and 25 April, on the first Sunday after the first full moon in spring. The date of Easter determines the dates of other church feasts and festivals in the spring season: the Pentecost and Chorpus Christi.

In the Church it is a feast of triumph and joy, of great hopes and the promise of an afterlife, resurrection and immortality.

Polish Easter holiday cycle consists of some beautiful and solemn church ceremonies and rituals, nowadays still attended by crowds of the faithful, as well as countless colourful and merry domestic and social customs, including meetings, feasting and joyful playing.

■ *Wielkanoc. Rys. J. Konopacki, „Kłosy", 1882 r.*
■ *Zdobienie jaj na Podlasiu. Fot. T. Kłosowski.*

■ *Easter; drawing by J. Konopacki in the "Kłosy," 1882*
■ *Decorating eggs in the Podlasie region; photo by T. Kłosowski*

■ *Popielec. Rys M.E. Andriolli, Z. Gloger „Rok polski w życiu, tradycji i pieśni"*

■ *Ash Wenesday; drawing by M.E. Andriolli, in Z. Gloger's "The Polish Year in Life, Tradition and Song"*

WIELKI POST WIELKANOCNY
LENT GREAT FAST

■ Obchody Wielkiej Nocy poprzedza sześciotygodniowy Wielki Post (ustanowiony już w II wieku), który rozpoczyna się nabożeństwem w środę popielcową, podczas którego kapłani posypują głowy wiernych popiołem (z ubiegłorocznych palm wielkanocnych), ze słowami: *Pamiętaj człowieku, że z prochu jesteś i w proch się obrócisz.* Ceremonia ta ma przypominać wiernym o znikomości i przemijaniu rzeczy ziemskich, kierować ich myśli ku Bogu i niezniszczalnym wartościom duchowym.

Zgodnie z nauką Kościoła, Wielki Post powinien być czasem umartwień, wzmożonej pobożności i skupienia, aby jak najlepiej przygotować się do wielkiego święta Zmartwychwstania i godnie w nim uczestniczyć.

W dawnej Polsce bardzo starannie przestrzegano zaleceń Kościoła na Wielki Post. W wielu domach (szczególnie tych uboższych) na sześć tygodni ze stołów znikały mięso, tłuszcze zwierzęce, a nawet miód, cukier i nabiał. Zwłaszcza na wsi żywiono się głównie żurem postnym, kartoflami, gotowaną i surową kwaszoną kapustą,

■ The celebration of Easter is preceded by the six-week-long Lent period, in Poland called "Great Fast". The practice, established in the 2nd century, begins with the service on Ash Wednesday, during which priests sprinkle ashes from previous year's Easter palms upon the heads of worshippers, saying: *Remember, O man, that you are dust, and unto dust you shall return.* The ceremony is meant to remind the faithful of the insignificance and passing of earthly things, to direct their thoughts towards God and indestructible spritual values.

In line with the church teachings, Lent should be a time of mortifications, piety and concentration, so as to get prepared in the best way for the participation in the great feast of Resurrection.

In old Poland the church instructions for Lent were followed with great care. In many houses, especially the poorer ones, meat, animal fats, and even honey, sugar and dairy products totally disappeared from tables for full six weeks. In villages people ate mainly meatless sour rye soup, potatoes,

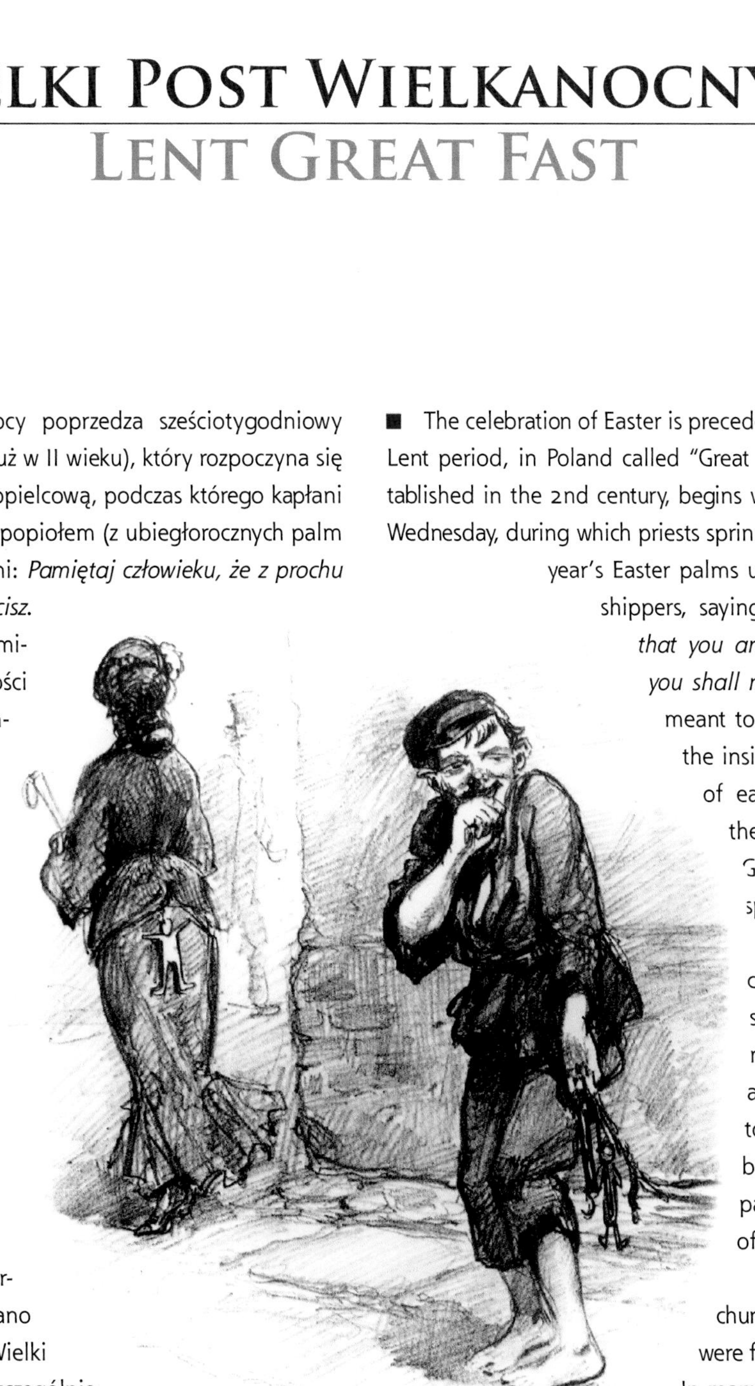

■ *Środa popielcowa. Wieszanie klocków, rycina z teki J. Rapackiego*

■ *Ash Wednesday; the Hanging of Wooden Dolls; a drawing by J. Rapacki*

■ *Półpoście. Rys. H. Pillati, „Kłosy", 1866 r.*

■ *Half-Lent; drawing by H. Pillati in the "Kłosy," 1866*

gotowaną brukwią, śliwkami suszonymi, rozgotowanymi na gęstą zupę (pamułę), śledziami, chlebem i innymi, podobnymi skromnymi potrawami, które skąpo maszczono olejem. Tylko w niedzielę pozwalano sobie na nieco lepsze i obfitsze jadło.

W bogatych domach mieszczańskich, magnackich i szlacheckich dworach oraz na plebaniach i w zasobnych klasztorach post nie bywał tak dokuczliwy, bo spożywano tam różne dania rybne, a na tzw. maślne śniadania i kolacje dobre pieczywo i nabiał.

W okresie Wielkiego Postu dobrowolnie narzucano sobie także inne umartwienia. Wstrzymywano się np. od palenia tytoniu. Chowano i (dla pewności) zamykano na klucz instrumenty muzyczne. Muzyka, śpiew, a tym bardziej taniec, spotkania towarzyskie i wszelkie hałaśliwe zabawy były surowo zabronione.

Obecnie wszystkie te zakazy zostały złagodzone. Kościół zaleca jedynie powstrzymać się od jedzenia mięsa w środy i piątki oraz post ścisły (polegający także na ograniczeniu

raw and boiled cabbage, sourkraut, boiled turnip, prunes boiled into a thick soup, herring, bread and other modest foods, sparsely flavoured with oil. Better and richer food was allowed only on Sundays.

In rich houses of burghers and magnates, in noblemen's manors, in rectories and wealthy monasteries fast was not so bothering, for they ate a lot of fish dishes and good quality bread, butter and other milk products for breakfast and supper there.

During Lent also other mortifications were imposed on one's own free will. For instance, people abstained from cigarette smoking, music instruments were locked away to make sure not to use them. Any music-playing or singing, not to mention dancing, socializing and noisy parties were strictly forbidden.

Now all these bans have been alleviated. The Church only recommends to refrain from taking meat on Wednesdays and Fridays and to fast (eating a very limited amount of food) on Ash

ilości spożywanych pokarmów) w środę popielcową i Wielki Piątek. Ponadto zakazuje urządzania wesel i hucznych zabaw. Zachęca natomiast do gorliwszych praktyk religijnych.

Niegdyś wielkopostną ciszę i powagę przerywały prawie już zapomniane obchody *półpościa*. W dniu, w którym przypadała połowa Wielkiego Postu po ulicach wsi i miast biegali chłopcy hałasujący drewnianymi kołatkami i terkotkami. Poza tym walili z hukiem drewnianymi młotami (szlagami), co nazywano wybijaniem półpościa, o drzwi domów, w których mieszkały panny na wydaniu, oraz rozbijali gliniane garnki wypełnione popiołem wykrzykując przy tym głośno: *półpoście, półpoście*. Nawet bardzo pobożne osoby tolerowały te hałasy i psoty. Oznaczały one bowiem, że zbliża się wesoły czas świąteczny i że pora już rozpoczynać generalne wiosenne porządki i inne przygotowania do świąt Wielkiej Nocy.

Wednesday and Good Friday. In addition, any weddings or great parties are banned and people are encouraged to engage more in religious practices.

In the past, the silence and solemnity of Lent was broken by a now almost forgotten custom of half-Lent. On the day which fell exactly in the middle of Lent time, boys used to run the streets of villages and towns making noise with all kinds of wooden rattles. They also banged very hard with wooden hammers on front doors of those houses where young maidens lived, which was called the "hammering out or half-Lent", and broke clay pots filled with ash, shouting loudly: "Half-Lent, half-Lent". Even very pious people tolerated those noisy activities, for they signalled that the merry Easter holiday was quite close and it was time to start spring house cleaning and other preparations for the Easter feast.

- *Wielki Tydzień na wsi w Galicyi. Rys. J. Fałat, „Kłosy", 1882 r.*
- *Chłopcy z kołatkami. Rys. A. Brzostek, „Bluszcz", 1890 r.*

- *Holy Week in a Galician Village; drawing by J. Fałat in the "Kłosy," 1882*
- *Boys with Rattles; drawing by A. Brzostek in the "Bluszcz," 1890*

■ *Wiosna. Rys. W. Grabowski, Z. Gloger, „Rok polski w życiu, tradycji i pieśni", 1908 r.*

■ *Spring; drawing by W. Grabowski, in Z. Gloger's "The Polish Year in Life, Tradition and Song," 1908*

Obrzędy przywoływania wiosny
Rites for summoning spring

▪ Zwiastowanie Najświętszej Marii Panny – 25 marca

W polskiej tradycji świątecznej uroczystość ta (przypadająca w okresie świątecznym wielkanocnym) kojarzona była zawsze z początkiem wiosny.

W polskich wierzeniach ludowych, Matka Boska, której Archanioł Gabriel zwiastował macierzyństwo, była również kreatorką i patronką budzącego się w przyrodzie życia. Nazywano ją więc Matką Boską Roztworną – ponieważ wierzono, że budzi ziemię i otwiera ją na przyjęcie nowego, siewnego ziarna, Matką Boską Zagrzewną, która ogrzewa ziemię, nakazując słońcu, aby świeciło dłużej i mocniej, Matką Boską Strumienną – bo za Jej przyczyną miały puszczać lody, a w rzekach i strumieniach budziła się życiodajna woda.

W polskiej tradycji zwiastunem wiosny są bociany. Mówi się, że właśnie w święto Zwiastowania, na powitanie wiosny, powinny powrócić z ciepłych krajów, zgodnie z przysłowiem ludowym:

„Na Zwiastowanie przybywaj bocianie".

Od najdawniejszych czasów, u wszystkich Słowian, bocian otaczany był szacunkiem. Cieszył się życzliwością ludzi jako ptak wielce pożyteczny, oczyszczający pola i łąki z robaków, płazów i gadów. Prócz tego uważany był za symbol powodzenia, wiosennej radości, szczęścia i płodności. Według powszechnie znanego w Polsce podania – dzieci przychodzą na świat za sprawą bociana, który przynosi je w swym dziobie i ukradkiem podrzuca rodzicom.

▪ The Annunciation of the Holy Virgin Mary – 25 March

In Polish tradition the feast, which is celebrated in the Easter season, has been always associated with the beginnig of spring.

In Polish folk beliefs, Mother of God, who was announced her motherhood by the angel Gabriel, was also the creator and patroness of awakening life in nature. She was called the Opener, as it was believed she awakened the earth and opened it for admitting new seed corn, and the Warmer, for she warmed the earth, ordering the sun to shine longer and stronger. She was also called Mother of God of the Streams, for she caused the ice on rivers and streams to melt and let their water start giving life again.

In Poland traditionally storks are harbingers of spring. It is thought they should be coming back from warm lands on the feast of Annunciation to greet the spring, as it goes in the popular proverb:

„On the day of Annunciation storks come back from vacation."

From time immemorial, the stork was held in respect by all Slav people. It was treated friendly and considered as a higly useful bird, which cleaned fields and meadows from worms, amphibians and reptiles. It was also regarded as a symbol of success, spring joy, happiness and fertility. There is a common legend in Poland about the stork being a deliverer of babies: it carries them in its beak and secretly plants them in parents' homes.

■ *Zwiastowanie Najświętszej Marii Panny, przylot bocianów, pocztówka z lat międzywojennych*

■ *The Annunciation of the Holy Virgin Mary: storks coming home; a card from prewar time*

W całej Polsce cieszono się więc widząc bociany powracające do swych starych gniazd. Zachęcano je także do zakładania nowych gniazd, np. kładąc na kalenicy dachu domu mieszkalnego, stodoły lub na wierzchołku starego drzewa, rosnącego w pobliżu domu, koła od wozu, zużyte brony, gałęzie, patyki i różne błyskotki. Wierzono, że: „pod bocianim gniazdem (tak samo jak pod gniazdem jaskółczym) szczęście mieszka".

Na Podlasiu w święto Zwiastowania pilnie wypatrywano bocianów i starano się nakłonić je do pozostania w obejściu. Gospodynie piekły więc ciasta w kształcie rozczapierzonych ptasich łap zwane *busłowymi* (bocianimi) *łapami* i inne wypieki przypominające skowronki oraz narzędzia rolnicze, np. pługi i brony. Niekiedy wkładano je do starych gniazd lub pod strzechę, zapraszając w ten sposób bociana do pozostania z ludźmi, a także na pomyślność wiosennych prac gospodarskich.

In Poland people have always rejoyced seeing storks coming back to their old nests. They have even encouraged the birds to build new nests by fixing some cart wheels or used harrows, tree branches, sticks and shiny objects on the roof ridge of their house, barn or on the top of some old tree growing near the house. They believed that happiness lives under a stork's nest (likewise under a swallow's nest).

In the Podlasie region, on the Annunciation day people watched out for storks, trying to coax them to stay in their homestead. Housewives baked cakes in the shape of a stretched-out stork foot and other cakes resembling larks, as well as farming tools such as ploughs and harrows. They put these cakes into old nests or under the thatched roof as an invitation for storks to stay with them and for the successful spring work on their farm.

- *Brona – obrzędowe pieczywo wiosenne*
- *Dumka pastusza. Rys. M.E. Andriolli, „Kłosy", 1876 r.*

- *A harrow-shaped ceremonial spring bread*
- *Shepherd Song; drawing by M.E. Andriolli in the "Kłosy," 1876*

■ Marzanna i Gaik Zielony

W czwartą niedzielę Wielkiego Postu, zwaną Laetare, Czarną lub Białą, w południowej i zachodniej Polsce (w Wielkopolsce, na Śląsku i Podhalu, w zachodniej części ziemi krakowskiej, w okolicach Żywca, a sporadycznie także i w innych regionach Polski) odbywał się prastary obrzęd niszczenia (topienia lub palenia) kukły – zwykle postaci kobiecej zwanej Marzanną, Moreną, Marzaniokiem, Śmiercichą lub Śmiertką. Była ona symbolem zimy, chorób, śmierci i wszelkiego zła.

Kukłę tę – w dziewczęcym świątecznym ubraniu, białej koszuli, gorsecie, kolorowej spódnicy i fartuszku, w wianku na głowie, ze wstążkami w warkoczach, umocowaną na wysokim kiju – dziewczęta obnosiły w uroczystym orszaku od domu do domu, od obejścia do obejścia, aby zabrała z nich nagromadzone zimą zło i nieszczęścia. Kiedy zaś już obeszły z Marzanną wszystkie domy, wynosiły ją poza granice wsi, rzucały na ziemię, zrywały z niej ubranie, rozdzierały na części, podpalały i płonące szczątki wrzucały do stawu lub rzeki, po czym szybko, nie oglądając się za siebie, wracały do domu.

Następnego dnia, na miejsce Marzanny, wprowadzały do wsi Gaik Zielony, zwany także Latem lub Latoroślą. Była to duża, zielona gałąź najczęściej sosnowa, przybrana wstążkami, „słoneczkami" z karbowanego papieru i wydmuszkami jaj.

■ Marzanna and Green Bough

On the fourth Sunday of Lent, called Laetare, Black or White Sunday, in southern and western Poland (Great Poland, Silesia and Podhale, the west part of Cracow land, the environs of Żywiec and sporadically also other regions of Poland) there was an ancient custom of destroying a dummy by drowning or burning it. It was usually an effigy of a female character named Marzanna or some other similar names, who symbolized winter, disease, death and other evil things.

The effigy – a girl in a Sunday dress: a white shirt, corset, colourful skirt and apron, a wreath on her head and plaits with ribbons, fastened to a long pole – was carried about by a procession of girls from house to house and from farm to farm. It was supposed to take away all evil and misfortunes which accummulated there through winter time. When they visited all houses with Marzanna, the effigy was taken outside the village, thrown to the ground, its clothes being pulled off and torn, then all of it was set on fire. The burning fragments were thrown to a pond or river and all the girls ran home quickly without looking back.

On the following day, instead of Marzanna they brought a Green Bough (*Gaik*) to the village, also called Summer or Sprig. It was a big green, usually pine branch, ornamented with ribbons, crepe paper suns and blown eggs.

■ *„Skowronki". Mal. A. Piotrowski, pocztówka*

■ *"Larks;" painted by A. Piotrowski, a card*

■ „Wiosna". Mal. W. Stasiak, pocztówka

■ "Spring;" painted by W. Stasiak, a card

Za wniesienie Gaika (Nowego Lata) dziewczęta otrzymywały od gospodyń kawałki placka, jajka, obwarzanki i drobne pieniądze.

Istotą obydwu obrzędów było zarówno niszczenie zimy, jak i magiczne przywoływanie wiosny.

Przez całe wieki Kościół zwalczał obrzędy Marzanny i Gaika, piętnując je jako zabobon i praktykę pogańską. Pomimo to, ten stary obrządek zachował się – chociaż w nieco zmienionej formie – aż do naszych czasów. Zapewne dlatego, że od połowy XIX stulecia stał się przede wszystkim dziecięcą zabawą urządzaną na powitanie wiosny, a jego dawny sens magiczny został zapomniany.

Obecnie zabawy zwane Marzanną, spopularyzowane przez telewizję, odbywają się w całej Polsce, także w tych regionach, w których pierwotnie nie były znane. Urządza się je najczęściej 21 marca (czyli w pierwszym dniu wiosny kalendarzowej).

For the fetching of the Bough or New Summer the girls received pieces of cake, eggs, pretzels and small change. Both rituals were aimed at destroying winter and a magic recall of spring.

Throughout the ages the ceremonies of Marzanna and Gaik were battled against by the Church, which considered them a superstition and pagan practice. But in spite of that the old ritual has survived to our days, though its form has changed slightly. The reason was probably the fact that from the mid-19th century it has been mainly a children's entertainment for the greeting of spring and the former magic meaning was forgotten.

Today the ceremony called Marzanna is propagated by television and takes place all over the country, even in the regions where initially it was unknown. Its usual date is 21 March, the first day of spring in the calendar.

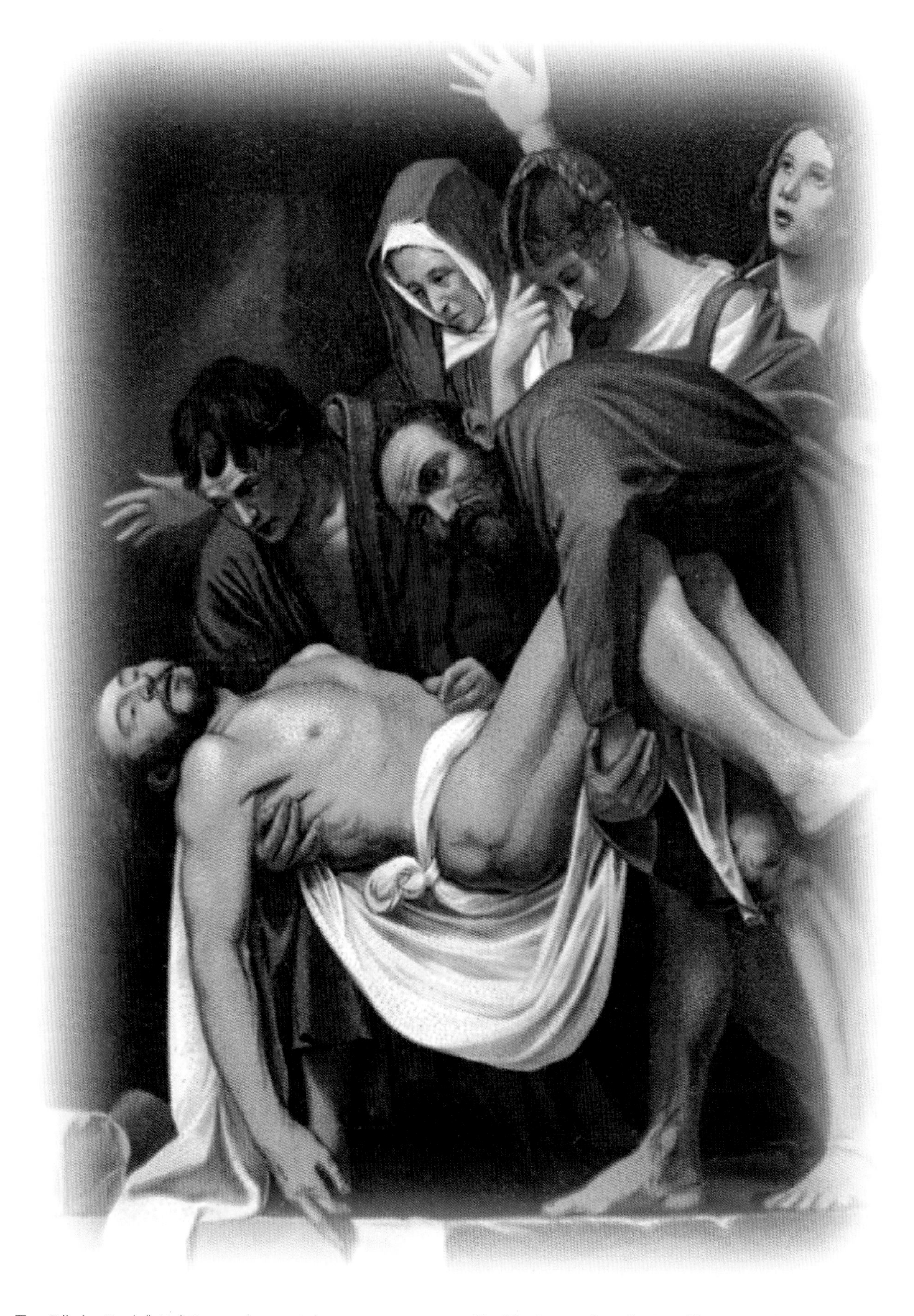

■ „Zdjęcie z Krzyża". Mal. Caravaggio, pocztówka

■ "The Descent from the Cross;" by Caravaggio, a card

Cykl świąteczny wielkanocny
The holiday cycle of Easter

Niedziela Palmowa

Najważniejsze uroczystości już bezpośrednio związane z Wielkanocą, z obchodami Męki i Zmartwychwstania Chrystusa rozpoczynają się w Niedzielę Palmową, która w Polsce nazywa się także Kwietną lub Wierzbną.

Kościół święci w tym dniu triumfalny wjazd Chrystusa do Jerozolimy, witanego przez rzesze ludzi wołających *Hosanna Synowi Dawidowemu, błogosławiony, który idzie w Imię Pańskie dla naszego zbawienia* i rzucających na drogę, którą Chrystus pokonuje na ośle, gałązki oliwne i palmowe.

Najważniejszą uroczystością kościelną Niedzieli Palmowej są procesje z palmami symbolizującymi zarówno męczeństwo, jak i tryumf. W IV wieku procesje z palmami zapoczątkowali chrześcijanie jerozolimscy. W XI wieku obyczaj święcenia gałązek zielonych i procesje z palmami wprowadzono do liturgii całego Kościoła powszechnego.

Zarówno święcenie palm jak i procesje z palmami, mają w Polsce wielowiekową tradycję. Najważniejszym składnikiem

Palm Sunday

The most important ceremonies connected directly with Easter, the Passion and Resurrection of Jesus Christ begin on Palm Sunday, in Poland also referred to as Flower or Willow Sunday.

The Church celebrates the triumphal entry of Christ into Jerusalem on that day, welcomed by crowds of people calling: *Hosanna to the son of David! Blessed is the one who comes in the name of the Lord for our Salvation!* They threw olive and palm branches to the road where Christ rode on his donkey.

Processions with artificial palms or their symbols, representing both Christ's martyrdom and his triumph, are the most significant church ceremony on Palm Sunday. Processions with palms were initiated by Jerusalem Christians in the 4th century. In the 11th century the customs of blessing green boughs and processions with palms were introduced into the liturgy of the whole universal Church.

Both palm blessing and processions are an agelong

W Kwietną Niedzielę. Rys. J. Konopacki, „Kłosy", 1883 r.

On Flower Sunday; drawing by J. Konopacki in the "Kłosy," 1883

polskiej palmy wielkanocnej jest gałązka wierzbowa, z puszystymi srebrnymi pąkami (zwanymi kotkami, baziami lub bagniakami). Do palmy wkłada się także rośliny „wiecznie" zielone: gałązki tui, świerku, bukszpanu, borówek leśnych, cisu, a przybiera się je kolorowymi wstążeczkami, suszonymi lub sztucznymi kwiatami, wykonanymi najczęściej z barwnej bibuły. Bardzo popularne są w Polsce tzw. palmy wileńskie, kolorowe wysmukłe bukiety lub pałki różnej wysokości i grubości z misternie ułożonych suszonych kwiatów, farbowanych kłosków traw i barwionego mchu. Niegdyś palmy tego typu popularne były głównie w okolicach Wilna (stąd ich nazwa), a sprzedawano je na dorocznym kiermaszu świątecznym zwanym kaziukami (jak mówiono na kaziukach), bo zwyczajowo odbywał się (i odbywa dotychczas) 4 marca na św. Kazimierza, patrona Wilna oraz całej Litwy, a także Polski i polskiej młodzieży. Obecnie palmy takie można kupić w całej Polsce.

W kilku regionach Polski: na Podhalu, ziemi sądeckiej i tarnowskiej, w okolicach Wieliczki i Bochni, ale także w Polsce północno-wschodniej, głównie na Kurpiach, robi się palmy szczególnie piękne i okazałe, bardzo wysokie, często 2–3-metrowe.

Procesje z takimi wysokimi palmami odbywające się np. w Łysych na Kurpiach, w Lipnicy Murowanej czy w Tokarni koło Myślenic są nie tylko obrzędem religijnym, ale także przepięknym widowiskiem, przyciągającym każdego roku tłumy widzów.

tradition in Poland. The most important constituent of Polish Easter palm is a willow branch with silvery, pussy buds known as catkins. It also includes such evergreen branches as: thuja, spruce, boxtree, cowberry and yew. It is decorated with colourful ribbons and flowers - dried or artificial made of coloured crepe. The so-called Vilnius palms are very popular in Poland. These palms are very slim bouquets or sticks of various height and width, forming elaborate compositions of dried flowers, dyed ears of grass and tinted moss. In the past such palm branches were made chiefly in the vicinity of Vilnius, hence their name. They were sold at an annual holiday fair called *kaziuki*, since it took place (and still does today) on 4 March, the day of Saint Casimir, the patron of Vilnius and the whole Lithuania as well as Poland and Polish youth. Nowadays this kind of palm branches are available all around Poland.

In some regions of Poland: in Podhale, the Sącz and Tarnów lands, nearby Wieliczka and Bochnia, but also in northeastern Poland, mainly in Kurpie, manufactured palm branches are especially beautiful and outstanding. They may sometimes reach as high as 2 or 3 metres.

Processions with such tall palms, arranged for instance at Łyse in the Kurpie region, Lipnica Murowana or Tokarnia near Myślenice, are not only religious ceremonies, but also wonderful shows attracting throngs of spectators every year.

■ *Niedziela Palmowa, wjazd Chrystusa do Jerozolimy, pocztówka*

■ *Palm Sunday, entry of Christ into Jerusalem; a card*

■ *Obchody Jezuska Palmowego w Tokarni koło Myślenic. Fot. K. Chojnacki*

■ *Palm Jesus celebration at Tokarnia near Myślenice; photo by K. Chojnacki*

Procesja z palmami idąca ze śpiewem wokół zabytkowego drewnianego kościółka w Tokarni zasługuje na uwagę także dlatego, że wozi się w niej, jak niegdyś, drewnianą figurę Chrystusa na osiołku. Ten stary obyczaj religijny reaktywował w latach 70. XX wieku miejscowy proboszcz. Obchody i procesje z Jezuskiem Lipowym, Dębowym lub Palmowym (jak nazywano dawniej wizerunek Chrystusa jadącego na ośle do Jerozolimy) znane były w Polsce (głównie w Małopolsce, a zwłaszcza na ziemi krakowskiej), już w XV wieku. Pisał o nich m.in. Mikołaj Rej z Nagłowic.

W Krakowie, wózeczki z umieszczoną na specjalnej platformie figurą Jezusa Palmowego ciągnęli (najpierw w nawach kościołów, później na dziedzińcu kościelnym, a z czasem także ulicami miasta) rajcy miejscy i najznamienitsi, najzamożniejsi mieszczanie krakowscy, a przyglądające się im tłumy wołały: *Hosanna* i *Błogosławiony, który idzie w imię Pańskie dla ludzkiego zbawienia*, rzucając pod koła wózka kwiaty i gałązki wierzbowe.

Ten podniosły zwyczaj dość szybko jednak przekształcił się w hałaśliwą zabawę i niepobożne krzyki pospólstwa,

A singing procession of people with palm branches walking around the ancient wooden church at Tokarnia is worthy of attention also for another reason: they carry a wooden figure of Christ on a donkey. This old custom was revived by the local provost in the 1970s. Ceremonial processions with Linden, Oak or Palm Jesus, as the image of Christ riding a donkey to Jerusalem was called, were known mainly in Little Poland and the Cracow region. The writer Mikołaj Rej of Nagłowice wrote about them as early as in the 15th century.

In Cracow, carts with a figure of Palm Jesus fastened on a special platform were pulled by town councilors and the most prominent Cracow burghers, first inside churches, then around churchyards and later also round the streets of the town. The viewing crowds called *Hosanna and Blessed is the one who comes in the name of the Lord for our Salvation!* They threw flowers and willow twigs under the wheels of the cart.

But the solemn ceremony quite soon turned into a noisy merrymaking, accompanied by ungodly shouting of the

mającego już dosyć postów i obowiązującej w Wielkim Poście powagi, np:

Jedzie Jezus, jedzie, weźmie żur i śledzie
Kiełbasy zostawi i pobłogosławi!

Wobec tego w 1780 roku władze kościelne wydały zakaz wożenia figurki, zwłaszcza w kościołach, i z czasem zupełnie zaniechano tej praktyki. Jej pamiątką jest zabytkowa XVI-wieczna drewniana rzeźba przedstawiająca Jezusa jadącego na ośle, pochodząca z Szydłowca, obecnie znajdująca się w zbiorach Muzeum Narodowego w Krakowie.

W Polsce z Niedzielą Palmową związane były jeszcze inne tradycje, np. krakowskie *pucheroki* – wesoła kwesta chłopców przed Wielkanocą. Pierwsze wzmianki o obchodach pucheroków pochodzą z XVII wieku. Nazwa nawiązuje do łacińskiego słowa *puer*, czyli chłopiec.

W Krakowie w Niedzielę Palmową pod kościoły przychodzili uczniowie i studenci – żacy, i w uformowanych szpalerach czekali na wychodzących z nabożeństwa krakowian.

common crowd, who were weary of fasting and the serious mood of Lent. So they called:

Here goes Jesus, he will take rye soup and herring
He'll leave sausage and give his blessing!

Considering that, the church authorities forbade to carry that figure, particularly in churches, and after some time the practice was completely abandoned. A relic of that tradition, a historic 16th-century wooden sculpture of Jesus riding a donkey from Szydłowiec, remains in the collections of the National Museum in Cracow.

■ *Pucheroki – chłopcy z Bibic pod Krakowem podczas świątecznej kwesty. Fot. G. Micuła*
■ *Kurpiowskie palmy wielkanocne w Łysych. Fot. K. Chojnacki*

■ *Poor boys from Bibice near Cracow fund-raising at Easter time; photo by G. Micuła*
■ *Kurpie Easter palms at Łyse; photo by K. Chojnacki*

In Poland, Palm Sunday was connected with some other traditions, such as the Cracow *pucheroki* – a merry fundraising by boys before Easter. The name of the custom, first mentioned in the 17th century, relates to the Latin word *puer* (boy).

On Palm Sunday in Cracow school and university students gathered in orderly rows in front of churches, waiting for Cracow inhabitants come to out from mass. When they saw them, the youths started to recite their own poems, usually about the poverty and misery of student life. For the money they received they bought themselves some food and heated beer.

In the course of time, the habit came to villages and parish schools near Cracow. It is still present at Bibice and Zielonki in that area. As in old times, groups of primtary school students walk around on Palm Sunday, their faces smeared with soot, wearing typical tall, conical straw hats ornamented with a lot of crepe ribbons. They make fun visiting all houses, everywhere reciting their funny though often nonsensical poems. They are received gladly and treated with pieces of cake and eggs – traditional foods on the table on that feast.

Gdy ich ujrzeli, zaczynali recytować ułożone przez siebie wierszyki, zwykle mówiące o biedzie i niedolach studenckiego życia. Za otrzymane datki pieniężne kupowali sobie jedzenie i grzane piwo.

Z czasem zwyczaj ten zawędrował na wieś, do podkrakowskich szkół parafialnych. Dotychczas występuje w Bibicach i Zielonkach pod Krakowem. Jak niegdyś w Niedzielę Palmową chodzą tam grupki uczniów szkół podstawowych (w ostatnich latach są wśród nich także dziewczynki); twarze mają umazane sadzą, ubrani są w charakterystyczne, wysokie, stożkowate czapki ze słomy, ozdobione mnóstwem bibułkowych wstążeczek. Dla zabawy obchodzą wszystkie domy, w każdym recytują swoje zabawne, chociaż zwykle pozbawione sensu wierszyki. Przyjmowani są chętnie i wszędzie mogą liczyć na poczęstunek, kawałek ciasta oraz jajka – tradycyjny gościniec na świąteczny stół.

- *Sprzedaż palm. Mal. A. Setkowicz, pocztówka*
- *Niedziela Palmowa w Łysych. Fot. G. Micuła*

- *Palm Selling; painted by A. Setkowicz, a card*
- *Palm Sunday at Łyse; photo by G. Micuła*

▪ WIELKI TYDZIEŃ

Następujący po Niedzieli Palmowej Wielki Tydzień to czas ważnych, pasyjnych obrzędów kościelnych i licznych domowych przygotowań. Najbogatsze w obrzędy i zwyczaje są trzy ostatnie dni Wielkiego Tygodnia: Wielki Czwartek, Wielki Piątek i Wielka Sobota. W Kościele dni i związane z nimi uroczystości religijne zwane są Triduum Paschalnym.

W Wielki Czwartek we wszystkich kościołach *zawiązuje* się dzwony. Na znak żałoby zastępują je kołatki. W kościołach święci się oleje. Liturgia nabożeństw wielkoczwartkowych ma upamiętniać Ostatnią Wieczerzę i ustanowienie Eucharystii.

Na pamiątkę umycia nóg apostołom przez Chrystusa, idąc za Jego przykładem biskupi, a niegdyś także królowie i wielmoże polscy, na znak chrześcijańskiej pokory i miłości bliźniego obmywali nogi dwunastu nędzarzom. Biedaków tych zawsze hojnie obdarowywano. Przyjmował ich także z najwyższymi honorami i osobiście usługiwał przy stole ostatni król Polski Stanisław August Poniatowski. Obyczaj ten zachowany jest dotychczas w liturgii Kościoła. W Polsce starcom obmywa nogi prymas Polski. W Watykanie w Bazylice św. Piotra – sam papież.

▪ HOLY WEEK

After Palm Sunday the Holy Week starts. It is the time of important Passion church ceremonies and intense preparations at home. The last three days of the Holy Week: Maundy Thursday, Good Friday and Holy Saturday, are the richest in customs and rituals. The religious church liturgy of these three days is called Paschal Triduum.

On Maundy Thursday bells in all churches are tied up. To show a sign of mourning they are replaced by rattles. Oils are consecrated in churches. The Maundy Thursday liturgy commemorates the Last Supper and the institution of the Eucharist.

In remembrance of Christ's washing the feet of the Apostles, in old Poland bishops and at one time even kings and magnates followed His example and to show their Christian humility and love of neighbour they washed the feet of twelve poor men. The latter were always presented with lavish gifts. They were also received with great honour and waited on at the table by the last king of Poland Stanisław August Poniatowski himself. The custom has been preserved till now in the church liturgy: the Primate of Poland washes the feet of very old men; in Vatican City the Pope himself does this in St. Peter's Basilica.

▪ *Palenie Judasza w Pruchniku na Podkarpaciu. Fot. K. Chojnacki*

▪ *Misterium Męki Pańskiej w Kalwarii Zebrzydowskiej. Fot. G. Micuła*

▪ *Burning of Judas at Pruchnik in the Sub-Carpathian region; photo by K. Chojnacki*

▪ *Passion play at Kalwaria Zebrzydowska; photo by G. Micuła*

W Polsce południowo-wschodniej, głównie w Pruchniku nad Sanem oraz w pobliskich Ciężkowicach, występuje stary zwyczaj (niegdyś powszechny w całej Polsce) wieszania lub palenia Judasza, nazywany judaszkami, opisywany w XVIII-wiecznych źródłach. Wielką kukłę wyobrażającą Judasza – zdrajcę, uszytą z workowego płótna, wypchaną trocinami lub gałganami, najpierw wiesza się na wysokim drzewie i pozostawia tak przez całą noc. Następnego dnia rano odcina się kukłę ze stryczka i wlecze, wśród krzyków i złorzeczeń, poza granice miasteczka, aby ją spalić, a płonące szczątki wrzucić do rzeki.

Zwyczaj ten w godnej naśladowania formie po dzień dzisiejszy zachował się także na ziemi sądeckiej. W Wielki Czwartek chłopcy i mężczyźni uprzątają ogrody

In southeastern Poland, mainly at Pruchnik on the San and the nearby Ciężkowice, there is an old custom, once common in the whole country, of hanging or burning Judas. It was described in some 18th-century sources. A big effigy of Judas the Betrayer, sewn from sackcloth and filled with sawdust or rags, is first hanged on a tall tree and left there for the whole night. On the following morning the doll is cut off from the halter and dragged on the ground, amid shouts of abuse, out of town to be burnt. Its burning remains are thrown into the river.

The custom has survived till this day in a more acceptable form in the Sącz region. On Maundy Thursday boys and grown-up men clean their gardens and yards (which belongs to their duties

- *Kukła Judasza. Fot. K. Chojnacki*
- *Palenie Judasza w Pruchniku na Podkarpaciu. Fot. K. Chojnacki*

- *Judas's effigy; photo by K. Chojnacki*
- *Burning of Judas at Pruchnik in the Sub-Carpathian region; photo by K. Chojnacki*

i obejścia (co należy do ich zwyczajowych obowiązków, ponieważ kobiety zajęte są innymi domowymi pracami), a wszystkie wymiecione śmiecie zgarniają w wielki stos, który podpalają wraz z zapadnięciem zmroku. Zwyczaj ten i płonące wieczorem ogniska nazywa się paleniem Judasza.

Na ziemi krakowskiej, na Śląsku i Podkarpaciu zachowuje się jeszcze zwyczaj zwany Cedronem. W nocy z Wielkiego Czwartku na Wielki Piątek ludzie wchodzą do stawów, rzek i strumieni, aby obmyć się wodą, na pamiątkę przejścia Jezusa przez rzekę Cedron. Niegdyś obrządek ten odbywał się w całkowitym milczeniu, wierzono bowiem, że tylko wówczas woda zachowuje cudowne właściwości: leczy oczy, choroby skórne, zęby, zapewnia zdrowie i urodę.

Wielki Piątek jest w Kościele dniem najgłębszej żałoby. Wyraża ją cała wielkopiątkowa liturgia.

anyway, as women are busy with other domestic chores) and all rubbish is raked up into a huge heap, which is then lit up at dusk. This custom of evening bonfires is called the burning of Judas.

In the Cracow region, Silesia and the Sub-Carpathians, there is still a custom called Cedron. In the night from Maundy Thursday to Good Friday people step into ponds, rivers and streams to wash themselves with their water in remembrance of Jesus Christ's crossing the Kidron stream. In the past the ritual took place in complete silence, as it was believed only then water retained its miraculous properties of healing the eyes, the teeth and skin diseases or giving health and beauty.

Good Friday is a day of deep mourning in the Church, expressed by the whole Good Friday liturgy. In the afternoon, tableaus of Christ's Tomb are unveiled in the aisles of all

- *Misterium Męki Pańskiej w Kalwarii Pacławskiej. Fot. K. Chojnacki*
- *Turki wielkanocne z Radomyśla nad Sanem. Fot. G. Micuła*

- *Passion play at Kalwaria Pacławska; photo by K. Chojnacki*
- *Easter Turks from Radomyśl on the San; photo by G. Micuła*

Po południu w nawach bocznych wszystkich świątyń odsłaniane są Groby Chrystusa. Tradycja ta, w Polsce sięgająca XVII wieku, jest żywa po dzień dzisiejszy. Równie żywa jest tradycja pobożnego nawiedzania Grobów Pańskich przez wiernych, a także piękna tradycja straży grobowych, które honorowo zaciągają (najczęściej) strażacy ubrani w galowe mundury, harcerze, członkowie różnych organizacji społecznych czy patriotycznych. Niekiedy straże grobowe występują w pięknych, historycznych kostiumach, np. w Pruchniku nad Sanem wartę przy Grobie Pańskim pełnią Kilińszczacy, w historycznych strojach narodowych, kontuszach i pięknych tkanych pasach, członkowie organizacji patriotycznej założonej w 1892 roku. Imponująco prezentują się także różne formacje straży grobowych zwane *turkami* wystawiane w regionie rzeszowskim (w okolicach Krosna, Rzeszowa, Przemyśla i Tarnobrzega oraz wsiach położonych w widłach Sanu, w okolicach Przeworska i Łańcuta, np. w Grodzisku, Giedlarowej, Gniewczynie, Sarzynie), zwane turkami wielkanocnymi. Straże o tej nazwie występują także na północno-wschodnim Mazowszu, w Drobinie i Górze.

churches. This tradition, which dates back to the 17th century, is still vivid. Some equally vivid traditions include visiting these tombs by the pious faithful, as well as the beautiful custom of putting guards in front of them. They are most often honorary guards performed by firemen dressed in ceremonial uniforms, boy-scouts and members of various social and patriotic organizations. Sometimes tomb guards wear fine historic costumes, like for instance at Pruchnik on the San, where the guard is kept by members of the patriotic organization set up in 1892, in historic national garments resembling the uniform of the famous national hero, Jan Kiliński, including a *kontusz* and fine woven belt. Also tomb guards in the Rzeszów region (near Krosno, Rzeszów, Przemyśl and Tarnobrzeg and the villages situated in the fork of the San River nearby Przeworsk and Łańcut, e.g. Grodzisk, Giedlarowa, Gniewczyn or Sarzyn) look really imposing. These guards, called Easter Turks, are also found in north-eastern Mazovia at Drobin and Góra.

Turk guards form many well-drilled detachments in bright uniforms, which combine elements of historic uniforms

- *Straże grodowe w Żołyni. Fot. G. Micuła*
- *Przy Grobie Bożym. Mal. J. Krasnowolski, pocztówka, 1927 r.*

- *Tomb guards at Żołynia; photo by G. Micuła*
- *At Christ's Tomb; painted by J. Krasnowolski, a card from 1927*

Turki tworzą liczne zmieniające się, doskonale wyćwiczone oddziały w barwnych strojach. W ubiorach turków pojawiają się np. elementy mundurów historycznych z różnych epok, elementy strojów orientalnych (np. u straży z Radomyśla), różne akcesoria i ozdoby (w każdej miejscowości inne).

W Wielkim Tygodniu, ale przede wszystkim w Wielki Piątek, w sanktuariach zwanych kalwariami i w niektórych przyklasztornych kościołach odbywają się widowiska – misteria pasyjne. Z misteriów tych słynie przede wszystkim Kalwaria Zebrzydowska, najstarsze i największe w Polsce, XVIII-wieczne sanktuarium pasyjne, pod wezwaniem Matki Boskiej Anielskiej, nad którym pieczę sprawują oo. bernardyni (osadzeni

tu w początkach XVII wieku). Każdego roku odbywa się tu wielkie misterium pasyjne trwające kilka dni, rozpoczynające się w Niedzielę Palmową. Rolę Chrystusa, apostołów, trzech Marii, Szymona Cyrenejczyka, św. Weroniki i in. odgrywają zakonnicy i wybrani mieszkańcy okolicznych miejscowości, którzy z wielkim zaangażowaniem kreują postacie biblijne, i to niejednokrotnie przez kilka kolejnych lat.

Dzień po dniu tłumy pątników, przybywających tu z odległych miejscowości, są świadkami i współuczestnikami wydarzeń opisanych w Piśmie Świętym: wjazdu Chrystusa do Jerozolimy, wygnania kupców ze świątyni, Ostatniej Wieczerzy, czuwania w Ogrojcu i zdrady Judasza, pojmania i sądów nad Jezusem, Jego drogi na Golgotę. Najważniejsze widowisko

- *Turki wielkanocne z Woli Rzeczyckiej. Fot. G. Micuła*
- *Misterium Męki Pańskiej w Górce Klasztornej w Wielkopolsce. Fot. G. Micuła*

from various periods with parts of oriental attire (e.g. those worn by the guards at Radomyśl). Their ornaments and used accessories differ from place to place.

During the Holy Week but chiefly on Good Friday, the sanctuaries known as calvaries and some monastic churches become the venue of performances called passion plays. The most famous of them is held at Kalwaria Zebrzydowska, with the oldest and biggest, 17th-century passion sanctuary in Poland, the Basilica of Our Lady of the Angels run by the Order of Friars Minor settled there in the early 17th century. The great mystery or passion play held there lasts a few days, starting on Palm Sunday. The roles of Jesus, the apostles, the three Marys, Simon of Cyrene, Saint Veronica and others are played by monks and some chosen inhabitants of nearby localities. They are deeply engaged in acting out these Biblical characters, often for several years in turn.

Day after day, crowds of pilgrims arrive from distant places to witness and take part in the events described in the Holy Scriptures: the entry of Jesus into Jerusalem, the expulsion of traders from the temple, the Last Supper, the prayer in the Garden of Gethsemane and Judas's betrayal, the arrest and trials of Jesus, His way to Golgotha. The most important show

- *Easter Turks from Wola Rzeczycka; photo by G. Micuła*
- *Passion play at Górka Klasztorna in Great Poland; photo by G. Micuła*

odbywa się w Wielki Piątek. Zawsze są na nim obecne niezliczone rzesze wiernych, którzy idą kalwaryjskimi ścieżkami za dźwigającym krzyż Chrystusem, widzą i przeżywają wszystkie trzy Jego upadki, spotkanie z Matką; widzą miłosierną Weronikę, jak ociera chustą twarz Chrystusa, i Szymona Cyrenejczyka, który pomaga Mu dźwigać krzyż. Idą aż do Kaplicy Ukrzyżowania. W końcowej scenie słychać stukanie młotów, a przeor klasztoru czyta zgromadzonym tekst biblijny – ewangelię św. Mateusza o ukrzyżowaniu i śmierci Jezusa.

Podobne plenerowe widowiska pasyjne odbywają się także w Kalwarii Pacławskiej koło Przemyśla, Górce Klasztornej koło Piły i w Niepokalanowie koło Warszawy.

takes place on Good Friday. It always attracts countless crowds of the faithful, who follow Jesus carrying the cross along the Calvary roads. They can see and experience the sight of all three of Jesus` falls, watch His meeting with Mother Mary, Saint Veronica wiping the face of Jesus with her veil and Simon of Cyrene helping Him carry the cross. They accompany Jesus up to the Chapel of the Crucifixion. In the last scene the banging of hammers is heard while the prior of the monastery is reading the text of the Bible: the Gospel of Matthew on the crucifixion and death of Jesus Christ.

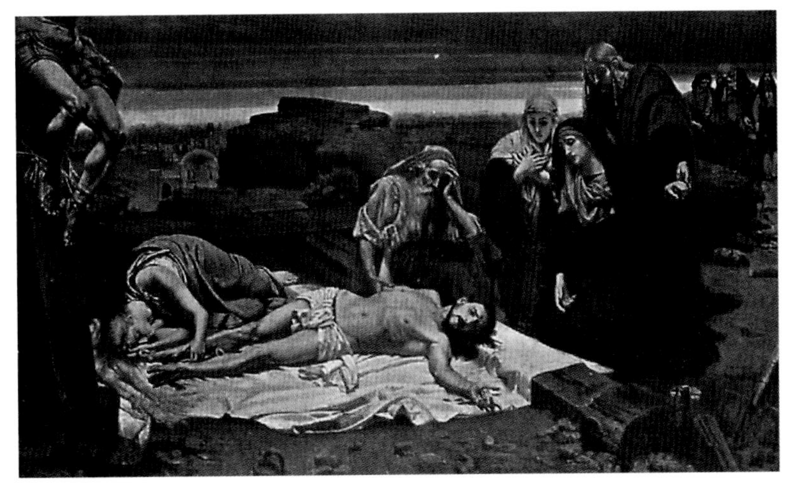

Similar open-air passion shows are also staged at Kalwaria Pacławska near Przemyśl, Górka Klasztorna near Piła and Niepokalanów near Warsaw.

Wielki Piątek jest w całej Polsce dniem skupienia, powagi, pobożnych praktyk. Jest także dniem ścisłego postu. Zgodnie z zaleceniami Kościoła, w tym dniu należy nie tylko powstrzymać się od jedzenia potraw mięsnych, ale także ograniczyć ilość spożywanych pokarmów. Tylko jeden raz w ciągu dnia można pozwolić sobie na posiłek do syta. Tradycyjnie jest to śledź marynowany, kartofle w mundurkach, postny żur z kartoflami. Niezależnie od tych ograniczeń, w Wielki Piątek wiele osób dobrowolnie rezygnuje z jedzenia i picia albo tylko pije wodę i spożywa odrobinę suchego chleba.

Good Friday is a day of serious meditation and prayers in the whole country. It is also a strict fast day. In accordance with church directives, you should not only refrain from taking meat but also eat very little on that day. You are allowed only one big meal during the whole day and it traditionally consists of marinated herring, potatoes boiled in skin and meatless sour rye soup with potatoes. Regardless of these restrictions, on Good Friday many people do not take any food or drink at all or they just drink water and take a slice of bread.

Jednocześnie Wielki Piątek jest dniem bardzo intensywnych przygotowań domowych, pieczenia, gotowania, kraszenia jaj. W domach rozchodzą się smakowite zapachy, ale wszystkie świąteczne przysmaki wędrują do spiżarni – będzie je można skosztować dopiero w Niedzielę Wielkanocną po rezurekcji.

At the same time Good Friday is a day of very intense preparations at home: baking, cooking and egg painting. Homes are filled with delicious aromas but all delicacies cooked for the coming feast go to the pantry. They would be not be tasted until Easter Sunday after the Resurrection service.

■ *Zdjęcie z Krzyża. Mal. J. Unierzyski, pocztówka*

■ *The Descent from the Cross; painted by J. Unierzyski, a card*

Niegdyś w całej Polsce w Wielki Piątek niszczono i na różne sposoby znieważano postny żur, który jadany na co dzień w Wielkim Poście, zdążył się już wszystkim uprzykrzyć. Wsypywano więc do niego popiół i śmiecie, wieszano na drzewie lub rozbijano gliniane garnki, w których się kwasił.

Zgodnie z tradycją, wszystkie prace i przygotowania świąteczne powinny się zakończyć w Wielki Piątek wieczorem albo najpóźniej do południa w Wielką Sobotę.

Kolorowe jaja wielkanocne, których nie może zabraknąć ani w koszyczkach niesionych w Wielką Sobotę do kościoła do poświecenia, ani na świątecznych stołach, to także bardzo ważny atrybut świąt Wielkiej Nocy.

Jaja malowane gładko, na różne kolory (niegdyś w barwnikach naturalnych, np. w wywarze z kory dębowej – dającej kolor czarny; z łusek cebuli – różne odcienie żółci i brązu; z młodego żyta – kolor zielony; w soku z buraków – na różowo itp.; a ostatnio w gotowych farbach spożywczych) to *kraszanki*.

In old times all over Poland the leftovers of meatless sour rye soup were thrown out on Good Friday or the dish eaten every day throughout the whole Lent was offended in every possible manner, for everyone got so sick and tired of it. They threw ash and rubbish into the pots with the soup, hanged them on trees or broke them.

According with the tradition, all preparation works for holiday should be completed on Good Friday evening or at the latest till Holy Saturday noon.

Colourful Easter eggs must never be missing neither from little baskets of food carried to church on Holy Saturday to be blessed nor on Easter tables. They form a very important element of Easter tradition.

A whole egg may be painted in one colour, then it is a *kraszanka*. Initially, natural dyes were used, such as oak bark decoction giving black colour, onion husk dycing various shades of yellow and brown, young rye – green and red beetroot juice

■ *Przygotowania świąteczne. Rys. J. Maszyński, „Kłosy", 1886 r.*
■ *Nieudane baby. Mal. J. Ryszkiewicz, pocztówka*

■ *Preparations for the Feast; drawing by J. Maszyński in the "Kłosy," 1886*
■ *Spoiled Baba Cakes; painted by J. Ryszkiewicz, a card*

Natomiast *pisanki* lub inaczej *piski* to jaja wzorzyste, pstre, pokryte deseniem wykonanym, czyli pisanym woskiem.

Jaja zdobi się także wyskrobując różne wzory ostrym narzędziem (nożykiem, żyletką, blaszką) na pomalowanej powierzchni. Są to tzw. rysowanki lub skrobanki.

Potocznie jednak wszystkie barwne jaja wielkanocne, bez względu na to, w jaki sposób są zdobione, nazywamy pisankami. Są one nie tylko ozdobą stołów, ale także świadectwem ciągłości obyczajów oraz bardzo starych i ciekawych tradycji.

Na całym świecie bowiem, także na ziemiach słowiańskich, od najdawniejszych czasów jajko było symbolem życia, siły, miłości i płodności. Czczono je, wierząc, że posiada wiele właściwości dobroczynnych i moc kreatywną

Pierwsze znaleziska pisanek (glinianych i krzemiennych) i skorup jaj pokrytych wzorem na ziemiach polskich, pochodzą z X wieku, z wykopalisk prowadzonych w okolicach Opola i Wrocławia, a zapisy o ich właściwościach leczniczych i cudownych uzdrowieniach pochodzą z XIII-wiecznych kronik i średniowiecznych *Żywotów Świętych*.

Z jajkami wiązały się liczne wierzenia ludowe, np. że mogą odwracać nieszczęścia i niweczyć zło. Dlatego jajka zakopywano pod węgły budowanych domów, rzucano w płomienie podczas pożaru, a na wiosnę kładziono w bruzdy zagonów w polu i ogrodzie. Wierzono, że skorupki pisanek rzucone pod drzewa w sadzie zapewnią obfitość owoców, a zmieszane z karmą dla drobiu sprawią, że kury będą się dobrze niosły. Jajka miały również zastosowanie w medycynie ludowej. Wspomagały zamawianie chorób; leczono nimi tzw. postrzały (nerwobóle), zaziębienia i uporczywe gorączki, tocząc jajko po ciele chorego. Wierzono, że na jajko można przenieść żółtaczkę lub febrę, jeśli chory dostatecznie długo będzie je trzymał w ręce. Następnie trzeba było zanieść jajko na rozstajne drogi, porzucić je tam i nie oglądając się za siebie powrócić do domu, nigdy więc nie podnoszono jajek znalezionych przy drodze, w polu

– pink, but in recent times artificial egg dyes are preferred.

Another type, a true *pisanka*, is an egg painted in many colours and patterns. One of traditional methods used was to draw a pattern with wax before painting an egg.

Patterns can be also drawn on an egg by scraping with a sharp tool, such as a knife, razor or any sharp blade, on a previously painted surface.

However, no matter what method of painting or decorating, all coloured Easter eggs are commonly called *pisanki*. They not only ornament our tables, but also prove the continuity of tradition and interesting, very ancient customs.

Since time immemorial round the whole world, in the Slavic lands as well, an egg has been a symbol of life, strength, love and fertility. It was worshipped and believed to possess many beneficial properties as well as creative powers.

The earliest findings of decorated eggs of clay and flintstone on Polish territory, as well as eggs covered with some patterns, date from the 10th century. They were excavated in the vicinity of Opole and Wrocław. Early records of their medicinal properties and miraculous healings are found in 13th-century chronicles and medieval *Lives of Saints*.

There existed many popular beliefs connected with eggs, e.g. that they can protect from misfortunes and eliminate evil. This is why eggs were often buried under the corners of newly built houses, thrown into flames during a fire and in spring they were put in between furrows in fields and gardens. People believed that shells of painted eggs thrown under trees in an orchard would bring them an abundance of fruit and mixed with chicken fodder they would make hens lay more eggs. Eggs were also used in popular medicine. They aided charms against disease; low back pains called lumbago, colds and persistent fevers were cured by rolling an egg over a patient's body. There was a belief that jaundice or fever can be passed from an ill person to an egg if it is held long enough in his or her hand. Then the egg

■ *Dziewczynka z wielkanocną babą. Mal. A. Setkowicz*
■ *Zdobienie jaj na Podlasiu. Fot. T. Kłosowski*

■ *A Girl with an Easter Baba Cake; painted by A. Setkowicz*
■ *Decorating eggs in the Podlasie region; photo by T. Kłosowski*

i innych, podobnych miejscach. Wierzono także, że kto umyje się w wodzie z miski, na której leżała pisanka, zachowa zdrowie i urodę.

Gotowane lub smażone jajka dawano zawsze pasterzom, którzy po raz pierwszy wychodzili z bydłem na pastwisko, aby ochronić ich i stado przed wilkami, chorobami i czarami. Jajko toczono po grzbietach i bokach krów oraz koni, aby były zdrowe, gładkie i okrągłe jak jajko. Takich i podobnych praktyk było bardzo wiele.

Jajka były zwyczajowym wykupem dziewcząt, dawanym chłopcom chodzącym po dyngusie w Poniedziałek Wielkanocny. Dawane w podarunku stanowiły dowód życzliwości, sympatii, miłości.

Przede wszystkim jednak, zgodnie z chrześcijańską tradycją wielkanocne jajko jest znakiem życia i zmartwychwstania. Jest więc symbolem Chrystusa Zmartwychwstałego.

had to be taken to a crossroads, left there and the person had to come back home without looking back. So no eggs found by the road, in the field or other sites like that were ever picked up. It was also thought that washing oneself in water where a pained egg was lying would bring health and beauty.

Shepherds who went out to the pasture with cattle for the first time were given boiled or fried eggs to protect them and their herd from wolves, disease and charms. Eggs were rolled over the backs and sides of cows and horses to make them healthy, smooth and rounded like an egg. A great number of similar rituals were known and practiced. Girls used to buy themselves out from being drenched with water on Easter Monday by giving eggs to boys, which was also a sign of their goodwill, fondness or love.

But first and foremost, according to Christian tradition an Easter egg is a symbol of life and resurrection, of the Resurrected Jesus Christ.

Wielka Sobota – przedświęcie Wielkanocy, jest dniem błogosławieństw. W kościołach święci się wodę chrzcielną, ciernie, a wieczorem przed mszą Wigilii Paschalnej także ogień. Ponadto przez cały dzień święci się pokarmy. W przeszłości święciło się wszystkie potrawy przygotowane na wielkanocne śniadanie (dlatego nosi ono nazwę „święconego"). Święcono więc jaja, mięsa i wędliny oraz ciasta ustawione na dużym, pięknie nakrytym stole, wokół którego gromadzili się wszyscy domownicy i w uroczystym nastroju oczekiwali przybycia księdza.

Mieszkańcy wsi zanosili jadło wielkanocne do najbogatszych gospodarzy, którzy w swych domach mieli obszerne świetlice, pod krzyż, kapliczkę, na dworski ganek i tam czekali na poświęcenie. Natomiast zwyczaj święcenia

Holy Saturday, a day before Easter, is a day of blessings. In churches, baptismal water and thorn branches and in the evening just before the Paschal Vigil service also fire, are all blessed. Besides, food is blessed all day through. In the past, every dish cooked for Easter breakfast was blessed and hence the name "święcone" (blessed) for that meal. Eggs, cooked and processed meats and cakes were displayed on a big, beautifully set table. Household members gathered around it and in high spirits they awaited the coming of a priest.

Village inhabitants carried their Easter food to the most wealthy households, where they had large rooms, to a village cross or shrine, or to a manor house porch. There they waited for

■ *Święcenie pokarmów w Wielką Sobotę w kościele przyklasztornym w Leżajsku. Fot. G. Micuła*

■ *Blessing of food on Holy Saturday in the monastery church at Leżajsk; photo by G. Micuła*

jadła w kościele jest znacznie późniejszy. Po jego wprowadzeniu, obyczajem przodków mieszkańcy wsi do kościoła zanosili wszystko, co sobie na święta przygotowali, całe wielkie kosze, wysłane czystym płótnem, z kołaczami, chlebem, jajami, kiełbasą, osełkami masła, z garstką soli i laskami chrzanu.

Obecnie zarówno w miastach, jak i na wsi do kościoła zanosi się jedynie małe koszyczki: z jajkiem i kromką chleba (którymi podzielimy się przed rozpoczęciem śniadania), solą, czasem z małym kawałkiem kiełbasy i – koniecznie – z barankiem z czerwoną chorągiewką, który jest symbolem Chrystusa Zmartwychwstałego. Jest to zwyczaj powszechny w całej Polsce, z wyjątkiem niektórych wsi na Pomorzu, gdzie nie święcono jadła wielkanocnego, i na Śląsku, gdzie nie dzielono się jajkiem przed śniadaniem wielkanocnym.

the blessing. The habit of blessing food in a church came much later. When it was just introduced, villagers continued to bring to church everything they prepared for Easter, like their ancestors did. They carried with them big baskets lined with clean cloth and filled with cakes, bread, eggs, sausage, blocks of butter, with a handful of salt and horseradish roots.

Today both in cities and villages only small baskets are brought to church, containing an egg and a slice of bread (which would be shared before starting Easter breakfast), some salt and maybe a small piece of sausage. It must be decorated with a lamb with a red banner, a symbol of the Resurrected Jesus Christ. This custom is common in the whole country except some villages in Pomerania, where food has never been blessed, and in Silesia, where they do not share an egg before Easter breakfast.

- *Święcenie wielkanocne. Rys. M. Pociecha, Z. Gloger „Rok polski w życiu, tradycji i pieśni", 1908 r.*
- *Święcenie jadła na pocztówkach B. Rychter-Janowskiej i A. Setkowicza*

- *Easter Blessing; drawing by M. Pociecha in Z. Gloger's "The Polish Year in Life, Tradition and Song," 1908*
- *Blessing of food on postcards by B. Rychter-Janowska and A. Setkowicz*

▪ Niedziela Wielkanocna

Wielkie święto Zmartwychwstania Chrystusa rozpoczyna rezurekcja, trzygodzinna, uroczysta msza święta z procesją. Mszę tę odprawia się w Wielką Sobotę o północy albo w Niedzielę Wielkanocną o świcie. W całej Polce, na to nabożeństwo przybywają tłumy.

W nocy z Wielkiej Soboty na Wielką Niedzielę, a szczególnie podczas procesji rezurekcyjnej słychać huk wystrzałów i pękających petard: salut na cześć Chrystusa Zmartwychwstałego, ale jest to także zabawa dzieci i młodzieży trwająca nierzadko przez cały dzień.

Po rezurekcji wszyscy spieszą do domów na oczekiwaną od wielu dni ucztę. Poprzedza ją ceremonia dzielenia się poświęconym jajkiem i wzajemne życzenia zdrowia, powodzenia i radości. Dopiero potem rozpoczyna się wielkanocna biesiada. Polskie „święcone" zawsze słynęło z obfitości, a wielkanocne stoły pełne były smakowitych potraw.

Pośrodku stołu (tak jak obecnie) królował baranek, niegdyś wyrabiany z wosku, masła lub ciasta, a w ostatnich czasach najczęściej z masy cukrowej i niekiedy z trwalszych materiałów: gipsu, gliny, porcelany. Obyczaj ustawiania baranka na wielkanocnym stole wprowadził w XVI wieku papież Urban V. W Polsce już w XVII wieku opisywano baranka jako „świętość, która w czas Wielkanocy musiała znaleźć się w każdym polskim domu". Wokół baranka na białym obrusie stawiano różne wielkanocne specjały.

W dawnej Polsce królowie i wielmoże wydawali święcone z ogromnym przepychem. Nadworni kucharze i zastępy kuchcików przez cały tydzień przygotowywali ogromne wielkanocne przyjęcie z pieczonymi na rożnie tuszami wołów, prosiętami, dzikami, sarniną, z setkami przeróżnych ciast i szlachetnymi trunkami.

▪ *Chrystus Zmartwychwstały jako Pasterz wędrujący po Ziemi, pocztówka*

▪ Easter Sunday

The great feast of Christ's Resurrection begins with a three-hour solemn mass called the Resurrection service, which includes a procession. It is celebrated on Holy Saturday at midnight or on Easter Sunday at daybreak and attended by crowds all over the country. At night from Holy Saturday to Easter Sunday, and in particular during the Resurrection procession, you can hear bangs of gunfire and firecrackers in a salute to the Resurrected Christ, but also as an entertainment for children and youths, it often lasts for the whole day.

After the service everyone hurries home to have the long-awaited big meal. It is preceded by the sharing of the blessed eggs accompanied by best wishes of health, success and joy to one another. Only then the main Easter feast meal begins. Polish "blessed" Easter breakfast has always been famous for its plentitude of delicious Easter dishes on tables.

In the middle of a table a lamb used to reign and it still does today. It was once made of wax, butter or cake, while recently it is most often made of sugar or such solid material as plaster of Paris, clay or china. The custom of placing a lamb on an Easter table was introduced by Pope Urban V in the 16th century. In Poland lamb was described as early as the 17th century as "a sacred object that must be present in every Polish house at Easter time". Around the lamb a variety of tasty Easter dishes were put on a white tablecloth.

In old Poland kings and magnates ate blessed breakfasts with great splendour. Court chefs and hosts of cooks prepared the great Easter reception for the whole preceding week. It featured entire roasted cattle, pigs, and boars and roedeer as well as hundreds of different cakes and quality beverages.

▪ *The Resurrected Christ as a Shepherd wandering on Earth; a card*

Święcone szlacheckie, mieszczańskie czy chłopskie nie bywało aż tak okazałe, ale cechowała je także wielka obfitość, a stoły były barwne, pięknie przybrane i pełne różnych przysmaków, które po dzień dzisiejszy są chlubą polskiej kuchni. Najważniejszym daniem była (podobnie jak obecnie) szynka (najlepiej cała, z kością, uwędzona w jałowcowym dymie) oraz kiełbasy, a wśród nich kiełbasa biała, zwana polską, niewędzona, gotowana lub pieczona z cebulą (tradycyjne polskie danie wielkanocne), także pieczone, zimne mięsa, odpowiednie do nich sosy, sałaty, marynaty i „obowiązkowo" tarty chrzan lub ćwikła, gotowane jaja oraz zawsze tłusty świąteczny żurek.

Niegdyś na staropolski świąteczny stół stawiano także półmisek z pieczoną w całości świńską głową (głowizną) z jajkiem w pysku i pieczone w całości prosięta.

Easter breakfast of noblemen, burghers or peasants was not so lavish but still plentiful and tables were full of colours, decorations and delicacies, all of which continue to do credit to Polish kitchen today. As today, in the past ham was the most important dish (preferably a whole gammon with a bone, smoked in juniper), along with sausages including Polish white sausage, unsmoked, only cooked or baked with onions (a traditional Polish Easter dish), as well as roast meat served cold with appropriate sauces, salads, pickles and obligatory grated horseradish, alone or with grated red beetroots, boiled eggs and always very greasy holiday sour rye soup.

In the past, a serving plate with a whole roast pig head holding an egg in its snout and entire roasted pigs were placed on Polish tables.

■ *Anioł przy pustym grobie Chrystusa. Mal. K. Keller, pocztówka*

■ *Angel at an Empty Tomb of Christ; painted by K. Keller, a card*

■ *Dzielenie się jajkiem. Mal. A. Setkowicz, pocztówka*

■ *Sharing Easter Eggs; painted by A. Setkowicz, a card*

Wśród świątecznych ciast najważniejsze były słynne polskie baby wielkanocne (niegdyś pieczone według skomplikowanych, wymyślnych receptur), mazurki (z barwnych mas, lukrów, bakalii, konfitur układanych na spodach kruchych, waflach lub opłatkach), serniki, biszkoptowe przekładańce i wiele innych.

Niegdyś świąteczne ucztowanie przerywały gry i zabawy domowe z użyciem pisanek. Czasami jeszcze dzisiaj bawimy się w *walatkę* (wybitkę), polegającą na toczeniu jajek po stole lub stukanie się trzymanymi w rękach kraszankami. Punkty zdobywa i wygrywa ten, którego jajko najdłużej nie stłucze się podczas zabawy.

Na Śląsku i Pomorzu w dzień Wielkanocy przygotowywano niespodzianki dla dzieci: koszyczki lub gniazdka ze słodyczami, rzekomo dar od wiosennego zajączka.

The most prominent cakes were the famous Polish Easter *baba* cakes, once baked according to some complex, elaborate recipes, *mazurek* cakes (of colourful pastes, sugar-icing, dried fruit and jam spread over shortbread bottoms or various wafers), cheesecakes, sponge-cake layer-cakes and many others.

Easter feasting in old times was interrupted by playful domestic games with painted eggs. Even nowadays we sometimes play rolling eggs on the table or tapping one another's egg. The winner is the owner of the egg that survives unbroken longest.

In Silesia and Pomerania, some surprises for children are prepared for Easter, such as small baskets or nests with sweets, which are said to be gifts from a spring bunny.

■ *Wielkanocny stół w restauracji „Delicja Polska", Warszawa, ul. Koszykowa 54*

■ *A table set for Easter in "The Delicja Polska" restaurant, Warsaw, 54 Koszykowa St.*

■ Poniedziałek Wielkanocny

Dzień ten zwany także lanym poniedziałkiem w całej Polsce upływa pod znakiem zabaw, spotkań towarzyskich, ogólnej wesołości i – przede wszystkim – lejącej się strumieniami wody. Najważniejszym i najbardziej znanym zwyczajem jest *śmigus-dyngus*, oblewanie się wodą, lub (w niektórych regionach, np. na Pomorzu i Śląsku Cieszyńskim) smaganie zielonymi gałązkami lub biczami uplecionymi z wierzbowych witek.

Po dziś dzień w tej swawolnej zabawie, która zawsze ma charakter zalotów, inicjatywa należy do chłopców. Niegdyś, niekiedy na ładne dziewczyny wylewali oni całe wiadra wody, a nawet pławili je w stawach, sadzawkach i korytach do pojenia bydła. Dziewczyny chowały się i uciekały przed „śmigurciarzami", ale w gruncie rzeczy były zadowolone. Im więcej wody wylano na pannę, tym większy był dla niej honor. Oznaczało to bowiem, że dziewczyna ma powodzenie i szanse na szybkie zawarcie małżeństwa.

W kujawskich wsiach istniał zwyczaj tzw. przywoływek dyngusowych. O zmierzchu w Niedzielę Wielkanocną chłopcy ze Stowarzyszenia Klubu Kawalerów szli w pochodzie, z orkiestrą, na największy plac we wsi. Tam z zainstalowanego podestu, z dachu karczmy lub wysokiego drzewa, najpierw ogłaszali rozpoczęcie „przywoływek", a następnie recytowali wierszyki o wszystkich mieszkających we wsi dziewczynach. Chwali je lub ganili, zapowiadali, ile wody się na nie poleje i pytali, czy jest ktoś kto je od tego wykupi, tzn. czy znajdzie się kawaler, który ochroni dziewczynę

■ Easter Monday

Also called Wet Monday, it is a day of parties and social meetings, general merry-making and above all pouring streams of water. The most significant and best known custom, called *śmigus-dyngus*, is pouring water on one another and in some regions, such as Pomerania and Cieszyn Silesia, also striking with green branches or whips made of willow twigs.

In this frisky game, always amorous in character, boys take the initiative. Formerly, they poured buckets of water on pretty girls and they would sometimes even wet them in ponds, lakes or drinking-troughs. Girls would run away trying to hide from them but in fact they were quite happy about it. The more water was poured on a maiden, the more honoured she felt, for that meant she was popular with men and had a chance to get married soon.

In villages of Kuiavia there functioned something like "*dyngus* calling". On Easter Sunday at dusk boys from the Society Club of Bachelors paraded with a music band to the biggest square in the village. There, standing on a special platform, the roof of the village inn or from a tall tree, they announced the "calling" time and proceeded with reciting short poems written on every girl living in that village. The poems praised them or scolded them, defined the amount of water the boys would pour on them and asked if there was anyone who would buy them out, i.e. a bachelor who would protect the girl from their mischievous dyngus pranks, thus declaring he adored her.

■ *Traczyk krakowski. Chodzenie z barankiem. Rys. Kostrzewskiego, „Tygodnik Ilustrowany", 1862 r.*

■ *Cracow Lumberjack: Walking with a Lamb; drawing by Kostrzewski in the "Tygodnik Ilustrowany," 1862*

od zbyt złośliwych psot dyngusowych, deklarując tym samym, że jest mu miła.

W przeszłości chodzenie po dyngusie z różnymi rekwizytami było także wielkanocną kwestą dzieci i młodzieży odwiedzających dom po domu. W każdym składano życzenia, śpiewano pieśni, recytowano wesołe wierszyki. Zwykle polewano również wodą gospodarzy, a zwłaszcza ich córki.

„Po dyngusie" chodzono *z traczykiem*. Był to umieszczony w umajonym ogródku drewniany tracz lub baranek z piłą w łapkach, na znak, że mały Jezus pomagał w pracy św. Józefowi – cieśli.

Na ziemi krakowskiej chodzono *z ogrojczykiem*, wózkiem z figurką Jezusa Zmartwychwstałego z czerwoną chorągiewką i ręką uniesioną w błogosławiącym geście.

■ *Dyngus, pocztówka, 1932 r.*

In the past, walking about with various dyngus accessories was combined with money collecting by children and youths visiting every house, giving their wishes, singing songs and reciting merry poems. On which occasion they usually wrenched the hosts and their daughters in particular with water.

After the dyngus they walked with a lumberjack – a wooden figure of a sawyer or a lamb holding a saw – which was to signify the help of Jesus to St. Joseph, a carpenter by trade.

In the Cracow region they carried around an *ogrojczyk*, i.e. a cart with a figure of the Resurrected Jesus holding a red banner and one hand raised in a gesture of blessing.

In the vicinity of Limanowa men dressed-up in tall straw hats walked from house to house in silence, only from time to time whistling or hooting, and they poured

■ *Dyngus, a card, 1932*

W okolicach Limanowej chodzili przebierańcy zwani *dziadami śmigustnymi*, ubrani w charakterystyczne słomiane wysokie czapki. Obchodzili domy w milczeniu, czasem tylko pogwizdywali lub pohukiwali i oblewali gospodarzy wodą ze swych sikawek – wielkich drewnianych szpryc. Według legendy wyobrażali żydowskich wysłanników, którzy nie chcieli uwierzyć w Zmartwychwstanie i za karę stracili głos.

W centralnej Polsce, głównie nad Pilicą, w okolicach Rawy Mazowieckiej, a także Łowicza, Sieradza i Łęczycy, również na Śląsku i w Wielkopolsce, w okolicach Kalisza chodzono z *kurkiem dyngusowym*, żywym, a czasem ze sztucznym kogutem, umieszczonym na dwukołowym, pięknie przystrojonym wózku. Chłopcy toczący wózek mieli ze sobą sikawki drewniane, kosze na datki i różne drewniane klekoty. Ich obchody miały także sprzyjać kojarzeniu małżeństw i zapewniać rodzinom zdrowe i liczne potomstwo. Kogut bowiem od wieków był symbolem siły, urody i męskości.

Każdego roku w Wielkanocny Poniedziałek (także wtorek), mieszkańcy Krakowa tłumnie odwiedzają świąteczny kiermasz zwany Emausem (jak biblijne miasteczko, do którego wg Ewangelii św. Łukasza szedł z dwoma młodzieńcami Zmartwychwstały Chrystus). Kiermasz ten, którego tradycje sięgają XVII wieku towarzyszył niegdyś nabożeństwom, procesjom i odpustom w kościołach na krakowskim Zwierzyńcu. Także w naszych czasach kramy emausowe pełne są odpustowych ciast i słodyczy. Słyną także z zabawek, tzw. emausowych, niespotykanych poza Krakowem – są to figurki przedstawiające charakterystyczne krakowskie postacie, a wśród nich Żydów w tradycyjnych ubiorach i lisich czapach, kiwających się (dzięki sprężynkom)

Jeszcze dotychczas na ziemi sądeckiej, rzeszowskiej i tarnowskiej kultywowany jest zwyczaj święcenia pól (o świcie w Wielkanocny Poniedziałek) kropidłem z palmy wielkanocnej. Rytuał ten połączony jest z wbijaniem w skiby krzyżyków zrobionych z rozebranych na cząstki palm.

Dziad śmigustny ze Szczyrzyca. Fot. G. Micuła

water on hosts from old-fashioned fire-hoses. As legend has it, they represented the Jewish messengers who would not believe in the Resurrection and thus they were punished with the loss of voice.

In central Poland, chiefly on the Pilica River and near Rawa Mazowiecka, as well as in Łowicz, Sieradz and Łęczyca, and also in Silesia, Great Poland and the environs of Kalisz they walked with a *dyngus* cock – real living one or sometimes artificial, carried in a two-wheeled car, beautifully decorated. The boys who pushed it were equipped with wooden fire extinguishers, baskets for gifts and many wooden rattles. Their visits were considered helpful in arranging marriages and ensuring large and healthy offspring to families. A cock was a centuries-old symbol of strength, beauty and virility.

Every year on Easter Monday (and Tuesday that followed) the inhabitants of Cracow swarm in the Easter fair called Emaus, after the Biblical town, to which the Resurrected Jesus went with two young men according to the Gospel of Luke. The fair, dating back to the 17th century, once accompanied church services, processions and church fairs in the Cracow Zwierzyniec district. These days the stalls of the Emaus fair still abound in church fair sweets and cakes. It is also famed for the so-called Emaus toys, not to be found anywhere else outside Cracow: figures of typical Cracow characters, among them Jews in traditional clothes and fox-fur hats, tottering on springs.

The custom of blessing fields on Easter Monday early in the morning with an Easter palm used as a sprinkler is still cultivated in the Sącz, Rzeszów and Tarnów regions. Crosses made of the palm bouquet parts are then mounted on top of field ridges.

A man in a straw hats from Szczyrzyc, photo by G. Micuła

Natomiast na Śląsku, w okolicach Raciborza, we wsi Pietrowice Wielkie, w Wielkanocny Poniedziałek odbywa się procesyjny objazd pól. Z kościoła parafialnego w Pietrowicach rusza kawalkada złożona z co najmniej kilkudziesięciu jeźdźców na koniach, w uprzęży przystrojonej kwiatami i wstęgami. Na czele jedzie konno (lub w bryczce) ksiądz proboszcz, w szatach mszalnych, w asyście najznaczniejszych gospodarzy, z których jeden trzyma w ręce krucyfiks, a drugi figurę Chrystusa Zmartwychwstałego. Orszak objeżdża wieś i należące do niej pola uprawne, po czym udaje się do zabytkowego XVII-wiecznego kościółka pątniczego, w którym odbywa się uroczysta msza w intencji rolników i za pomyślność prac polowych mających się wkrótce rozpocząć.

Na północno-wschodnich rubieżach Polski (m.in. w okolicach Białegostoku i Siemiatycz) mieszkający tam wyznawcy prawosławia, w Niedzielę Przewodnią (tydzień po Niedzieli Wielkanocnej), zwanej tam także Wielkanocą Umarłych, zanoszą najpiękniejsze pisanki na cmentarz i obyczajem przodków składają je w ofierze na mogiłach swych bliskich.

In Silesia nearby Raciborz in the village of Pietrowice Wielkie, a procession round the fields takes place on Easter Monday. A cavalcade of at least several dozen horse riders sets off from the parish church at Pietrowice. Their harnesses are ornamented with ribbons and flowers. They are led by a local provost, mounted or in a light carriage, in his mass robes and assisted by the most prominent farmers, one of them holding a crucifix, another a figure of the Resurrected Christ. The procession tours the village and its farmlands and makes their way to the historic 17th-century pilgrim shrine, where a solemn mass is celebrated with intentions for farmers and successful fieldwork soon to be started.

In northeastern outskirts of Poland (e.g. near Białystok and Siemiatycz) local Orthodox Church members take their finest painted eggs to the cemetery and like their ancestors they place them on the graves of their close relatives as an offering. It is done on the second Sunday of Easter, in that region called Leading or Dead People's Sunday.

■ *Procesyjny objazd pól w Poniedziałek Wielkanocny w Pietrowicach Wielkich. Fot. G. Micuła*

■ *A procession round the fields on Easter Monday at Pietrowice Wielkie; photo by G. Micuła*

■ *Zielone Świątki. Rys. M.E. Andriolli, Z. Gloger „Rok polski w życiu, tradycji i pieśni", 1908 r.*

■ *Pentecost; drawing by M.E. Andriolli, in Z. Gloger's "The Polish Year in Life, Tradition and Song," 1908*

ZIELONE ŚWIĄTKI - POMIĘDZY 10 MAJA I 13 CZERWCA

PENTECOST - BETWEEN 10 MAY AND 13 JUNE

■ Święto kościelne upamiętniające Zesłanie Ducha Świętego na apostołów, obchodzone w zależności od terminu Wielkanocy, pomiędzy 10 maja a 13 czerwca w siódmą niedzielę i poniedziałek po Wielkanocy, zamykające wielkanocny cykl świąteczny.

W przeszłości, ze świętem tym związane były obrzędy witania wiosny i różne zwyczaje pasterskie i rolnicze.

Najważniejszym atrybutem tych świąt była świeża zielona gałąź. Od niej to właśnie, od wiosennej zieleni, wzięły swoją ludową nazwę – Zielone Świątki.

W całej Polsce na Zielone Świątki *majono* gałązkami brzozowymi domy i obejścia, wrota oraz płoty. Zaś podwórka i ścieżki, podłogi w izbach, a nawet psie budy grubo wyściełano tatarakiem dla świątecznej dekoracji, dla pięknego zapachu, ale także....przeciwko pchłom, muchom, komarom i innym insektom.

Do dnia dzisiejszego dla podtrzymania tradycji w wielu domach w Zielone Świątki ustawia się wazony i dzbany z tatarakiem.

Na wzgórzach i leśnych polanach rozpalano *ognie obrzędowe – sobótki* (jak w wigilię św. Jana). Na Podlasiu zwano je palinockami. W nocy pasterze tańczyli wokół ognisk z zapalonymi pochodniami, biegali z nimi po polach i wokół swych stad, na dobre plony i szczęśliwy wypas bydła; bawili się i ucztowali.

W tym samym regionie, w nadnarwiańskich wsiach, jeszcze na początku XX wieku, w Zielone Świątki odbywał się *obchód*

■ Depending on the date of Easter, this church feast in remembrance of the Descent of the Holy Spirit is celebrated on the seventh Sunday and Monday after Easter, between 10 May and 13 June. It closes the Easter season.

In the past it was a holiday connected with the rites of greeting spring and other customs of shepherds and farmers.

A fresh green branch, the main attribute of this holiday, gave the common folk name to the feast in Poland: Green Holiday.

On Green Holiday or Pentecost all Poles adorned households, gates and fences with green branches of birch, while courtyards, paths and floors inside houses and even dog kennels were thickly carpeted with sweet flag – for decoration, for its beautiful smell, but also... against fleas, flies, mosquitoes and other insects. Sweet flag is still put into vases and jugs in many houses today to keep up the Pentecost tradition.

Ritual fires called *sobótki* were burnt on hills and forest clearings, like on St. John's Eve. They were described in the Podlasie region as "fiery nights". At night shepherds danced around bonfires holding torches, ran with them over the fields and round their herds asking for good harvest and pasturage. They feasted and made fun.

In the same region in villages on the Narew River, a procession with a princess was staged on Pentecost until the beginning of the 20th century. The most beautiful village girl was

■ *Strojenie figury kwiatami, „Kłosy", 1870 r.*

■ *Decorating a cross with flowers, in the "Kłosy," 1870*

z królewną. Najładniejszą we wsi dziewczynę pięknie ubierano, wkładano jej na głowę koronę z kwiatów i w orszaku innych dziewcząt prowadzono granicami pól, śpiewając pieśni mające spowodować bujny wzrost zboża i dobre urodzaje.

Innym ciekawym, zielonoświątkowym zwyczajem rolniczym było tzw. *wołowe* (lub końskie) *wesele*, zabawa ludowa, nazywana także rodusiem, podczas której pasterze wodzili pięknego wołu lub konia przybranego w wieńce z kwiatów i wstęgi. Zabawa ta, znana w Polsce już w XVI wieku, mogła mieć związek, ze starosłowiańskimi obrzędami pasterskimi, podczas których oprowadzano w procesji wołu – czczonego jako uosobienie wiosennej siły i wzrostu.

Z Zielonymi Świątkami wiązał się także zwyczaj majówek – wycieczek do lasu i nad wodę, połączonych często z paleniem ognisk, smażeniem jajecznicy (np. na ziemi sądeckiej) i zabaw podmiejskich. Urządzano je w Krakowie nad Wisłą

dressed beautifully and decorated with a crown of flowers. She was led along field borders in the company of other girls and they sang songs which asked for rampant growth of crops and a good harvest.

Another interesting Pentecost custom of farmers was a so-called ox or horse wedding – a folk merrymaking, during which shepherds led a fine ox or horse ornamented with flower wreaths and ribbons. The tradition, known in Poland as early as the 16th century, might be connected with some old Slavic shepherd rituals, during which an ox was led in procession and worshipped as an embodiment of spring growth and power.

The tradition of going to May outings was also connected with Pentecost. Excursions to the forest or on the water were made, often with bonfires and frying eggs (e.g. in the Sącz region) as well as dancing in the open air. Such amusement was usual in Cracow on the Vistula and in the Warsaw Bielany dis-trict,

■ *Procesyjny obchód pól w Zielone Świątki w Zakalinkach na Podlasiu. Fot. A. Mironiuk-Nikolska*

■ *Zielone Święta, Z. Gloger, „Rok polski w życiu, tradycji i pieśni", 1908 r.*

■ *A procession round the fields on Pentecost at Zakalinki in the Podlasie region; photo by A. Mironiuk-Nikolska*

■ *Pentecost; in Z. Gloger's "The Polish Year in Life, Tradition and Song," 1908*

i na warszawskich Bielanach, które niegdyś były leśną osadą podmiejską, a z czasem stały się dzielnicą miasta. Liczne wzmianki o tych majowych zabawach (tańcach, żywych obrazach, występach kuglarzy, przejażdżkach po Wiśle umajonymi łodziami i fajerwerkach) finansowanych często z kasy królewskiej i niekiedy zaszczycanych obecnością króla (odwiedzał je czasem król Stanisław August Poniatowski) znajdują się w XVIII-wiecznych gazetach.

Majowe zabawy podmiejskie i festyny ludowe cieszyły się wielką popularnością w dwudziestoleciu międzywojennym.

Zielone Świątki obchodzi się w Polsce także jako Święto Ludowe. Ustanowiono je w 1903 roku we Lwowie podczas Zgromadzenia Rady Naczelnej Polskiego Stronnictwa Ludowego. Od tamtej pory Święto Ludowe wyraża ideały całego chłopskiego, rolniczego stanu.

once a suburban forest settlement before it became a city district. 18th-century newspapers are filled with numerous accounts of such May entertainments as dancing, live pictures, illusionist shows and pleasure voyages on the Vistula in boats decorated with greenery, and fireworks. They were often financed by the royal treasury and sometimes honoured by the presence of the king, for example Stanisław August Poniatowski.

Suburban May revelries and outdoor parties enjoyed a great popularity during the twenty-year period between the two world wars.

Pentecost or Green Holiday in Poland is also celebrated as the People's Holiday, set up in Lvow in 1903 at the Assembly of the Supreme Council of Polish People's Party. Since then the People's Holiday reflects the ideals of the whole peasant class of the society.

■ *Bielany. Rys. M.E. Andriolli, Z. Gloger „Rok polski w życiu, tradycji i pieśni", 1908 r.*

■ *Bielany District; drawing by M.E. Andriolli, in Z. Gloger's "The Polish Year in Life, Tradition and Song," 1908*

■ *Procesja Bożego Ciała w Łowiczu. Fot. I. i T. Kaczyńscy*

■ *Corpus Christi procession at Łowicz; photo by I. and T. Kaczyńscy*

Boże Ciało – pomiędzy 21 maja i 23 czerwca

Corpus Christi – between 21 May and 23 June

■ Wielkie święto kościelne Eucharystii, ustanowione w 1246 roku i najpierw obchodzone w Belgii. Do Polski zostało wprowadzone w 1320 roku przez biskupa krakowskiego Nankera. Zawsze obchodzone w czwartek, jedenastego dnia po Zesłaniu Ducha Świętego, między 21 maja i 23 czerwca.

Od XV wieku w Polsce obchodom Bożego Ciała towarzyszą uroczyste procesje, z hostią w monstrancji. Procesje te

■ The prominent church feast of the Eucharist was established in 1246 and first celebrated in Belgium. It was introduced to Poland in 1320 by the Bishop of Cracow Nanker. It was always celebrated on Tursday, the eleventh day after the Descent of the Holy Spirit, between 21 May and 23 June.

From the 15th century Corpus Christi in Poland is celebrated with great processions with host in the monstrance. They are

■ *Wicie wianków na Boże Ciało. Rys. M.E. Andriolli, Z. Gloger „Rok polski w życiu, tradycji i pieśni", 1908 r.*

■ *Wreath Weaving on Corpus Christi; drawing by M.E. Andriolli, in Z. Gloger's "The Polish Year in Life, Tradition and Song," 1908*

arranged in every church, from which they go out and proceed to four altars built outside. At each altar the Gospel is sung and the faithful are blessed with the Blessed Sacrament.

Since ancient times in entire Poland Corpus Christi processions have been very solemn events. Every year gonfalones and reliquaries are carried in the processions, attended by crowds of the faithful, among which there are military men, firefighters in ceremonial uniforms and firemen music bands. Girls in white dresses sprinkle flower petals in front of the Blessed Sacrament and altar boys ring bells. At Łowicz and the nearby villages, in the vicinity of Rawa Mazowiecka and Opoczno, in the Podhale and Sącz region in Cracow and the villages around it, and above all in the great procession from Wawel Hill to St. Mary's Cathedral – crowds of village people walk in their colourful regional costumes. The men who hold a canopy over the priest carrying the monstrance are always dressed in folk costumes. At Spycimierz near Uniejów in the Sieradz region, the Corpus Christi procession walks on fine colourful carpets of sprinkled fresh flowers and flower petals covering the ground.

The main Corpus Christi procession in Warsaw starting from St. John's Cathedral in the Old Town and going along the Royal Route is still, in accordance with tradition, led by the Primate of Poland.

Procesja Bożego Ciała w Spycimierzu. Fot. G. Micuła

Corpus Christi procession at Spycimierz; photo by G. Micuła

wychodzą ze wszystkich świątyń i idą do czterech ustawionych na zewnątrz ołtarzy. Przy każdym ołtarzu śpiewa się Ewangelię i błogosławi wiernych Przenajświętszym Sakramentem.

W całej Polsce, od najdawniejszych czasów procesje Bożego Ciała są bardzo uroczyste. Niesie się w nich chorągwie kościelne i przybrane kwiatami feretrony. Każdego roku uczestniczą w nich rzesze wiernych, a wśród nich wojskowi, strażacy w galowych mundurach i orkiestry strażackie. Zawsze idą w nich dziewczynki w bieli, sypiące kwiaty przed Najświętszym Sakramentem i ministranci z dzwonkami. W Łowiczu i podłowickich wsiach, w okolicy Rawy Mazowieckiej i Opoczna, na Podhalu, ziemi sądeckiej, w Krakowie i podkrakowskich wsiach, a zwłaszcza w wielkiej procesji idącej od Wawelu do katedry Mariackiej tłumnie idą mieszkańcy wsi w swych regionalnych, barwnych strojach. Przywdziewają je zwłaszcza mężczyźni trzymający baldachim nad księdzem niosącym monstrancję. W Spycimierzu koło Uniejowa na ziemi sieradzkiej procesja Bożego Ciała stąpa po wzorzystych kwietnych dywanach, usypanych misternie z żywych kwiatów i płatków kwiatowych.

Dotychczas, zgodnie z tradycją, w Warszawie procesję Bożego Ciała wychodzącą z katedry św. Jana na Starym Mieście szlakiem królewskim prowadzi prymas Polski.

- *Procesja Bożego Ciała w Zakopanem. Fot. M. Bancerowski i P. Szczepański*
- *Procesja Bożego Ciała w Spycimierzu. Fot. G. Micuła*

- *Corpus Christi procession at Zakopane; photo by M. Bancerowski and P. Szczepański*
- *Corpus Christi procession at Spycimierz; photo by G. Micuła*

Niegdyś w oktawę Bożego Ciała święciło się wianki z ziół i kwiatów (rozchodnika, macierzanki, rosiczki, jaśminu, dzikiej róży, rumianku, piwoni). Wianki te wieszano później nad drzwiami wejściowymi, a w izbie – nad świętym obrazem. Wierzono, że chronią dom i ludzi przed pożarem, burzą, wszelkim nieszczęściem i złym urokiem.

Natomiast w Krakowie po dzień dzisiejszy odbywają się *obchody lajkonika – konika zwierzynieckiego*. Po zakończeniu

In old times during the octave of Corpus Christi wreaths of herbs and flowers (sedum, thyme, sundew, jasmine, wild rose, chamomile and peony) were blessed. The wreaths were later hung over front doors and over holy images inside. It was believed they protected the house and its people from fire, storm, bad spell or any kind of evil.

In Cracow the Lajkonik festival is continued to be held every year in the octave of Corpus Christi. When the church

■ *Obchody lajkonika w Krakowie. Fot. J. Leśniak*

■ *Lajkonik Festival in Cracow; photo by J. Leśniak*

uroczystości kościelnych, na rynek staromiejski wkracza korowód barwnie ubranych postaci, ze sztandarem cechowym flisaków. Najważniejszą postacią jest jeździec galopujący na koniu; (w rzeczywistości skaczący na własnych nogach; (jego wierzchowiec składa się bowiem z drewnianej głowy i ramy osłoniętej kapą), we wschodnim stroju, z miękkim obuszkiem z gałganów w dłoni, którym dla żartu uderza widzów i próbuje wziąć w niewolę co ładniejsze dziewczyny. Legenda głosi, że zabawa ta odbywa się na pamiątkę najazdu Tatarów na Kraków i bohaterskiej obrony miasta przez cech flisaków. Według tej samej legendy trębacz w porę dostrzegł wrogów i zagrał hejnał wzywając do zamknięcia bram i obrony miasta, chociaż sam poległ, ugodzony strzałą tatarską w szyję. Na pamiątkę tego wydarzenia, dotychczas wygrywany na wieży hejnał, kilka razy dziennie, na wszystkie strony świata – nagle się urywa. Coroczne obchody lajkonika w oktawę Bożego Ciała przyciągają na rynek krakowski rzesze widzów.

festivities are over, a parade of characters in colourful clothes, carrying a banner of the raftsmen's guild, goes from Zwierzyniec to the Old Market Square. The most outstanding of them pretends to ride a horse constructed of a wooden head and a frame covered with cloth. He is dressed in oriental clothes and holds a ball of rags in his hand, with which he jokingly hits the spectators, trying to take the more beautiful girls captive.

Legend has it that the event was to commemorate the Tartar invasion of Cracow and the heroic defense of the town by the raftsmen's guild. The legend also says a trumpeter saw the enemy in time and he started to play the bugle calling the citizens to shut the town gates. While playing it he was killed by a Tartar arrow which struck his throat. In memory of that incident, the bugle call is played several times a day to all directions of the world and it is suddenly broken in the middle of the tune. The annual Lajkonik show attracts throngs of spectators to Cracow Market Square.

■ *Dywan kwiatowy przygotowany na procesję Bożego Ciała w Spycimierzu. Fot. G. Micuła*

■ *A flower carpet made for a Corpus Christi procession at Spycimierz; photo by G. Micuła*

LATO.
21 VI–20 IX
SUMMER.

■ *Sobótka świętojańska. Mal. L. Stasiak, pocztówka*

■ *St. John's Night Sobótka; painted by L. Stasiak, a card*

Obchody świętojańskie - 23/24 i 24 czerwca
St. John's Night - 23/24 and 24 June

■ W ludowej tradycji były wielkim świętem powitania lata, obchodzonym w czas letniego przesilenia słońca, w najkrótszą noc w roku, z 23 na 24 czerwca i najdłuższy dzień 24 czerwca. Patronem tego dnia Kościół uczynił św. Jana Chrzciciela. Wszystkie więc tradycje i obchody tego święta nazwano świętojańskimi.

Najstarszą tradycją święta była *sobótka – ognisko obrzędowe*. W noc świętojańską na wzgórzach i leśnych polanach rozpalano wielkie ogniska (sobótki), a ogień krzesano deskami (jest to archaiczny sposób krzesania iskry przez tarcie drewna o drewno). Wokół ognia tańczyły dziewczęta ubrane na biało, przepasane bylicą, zielem czarodziejskim o niezwykłej mocy, i śpiewały pieśni miłosne. Do ognisk przychodzili także chłopcy (lub rozpalali własne) i popisywali się zręcznością, skacząc przez ogień. O północy udawano się na poszukiwanie kwiatu paproci, który miał zakwitać w tę jedną noc w roku i świecąc niezwykłym blaskiem, wskazywać drogę do ukrytych w ziemi skarbów, a temu, kto go znalazł, odsłonić wszystkie mądrości świata, zapewnić bogactwo i szczęście. W obchodach świętojańskich nie tylko kwiat paproci (który zakwita tylko w baśniach), ale również inne rośliny odgrywały tak ważną rolę. Wierzono, że bylica, blisko z nią spokrewniony piołun, dziurawiec – zwany

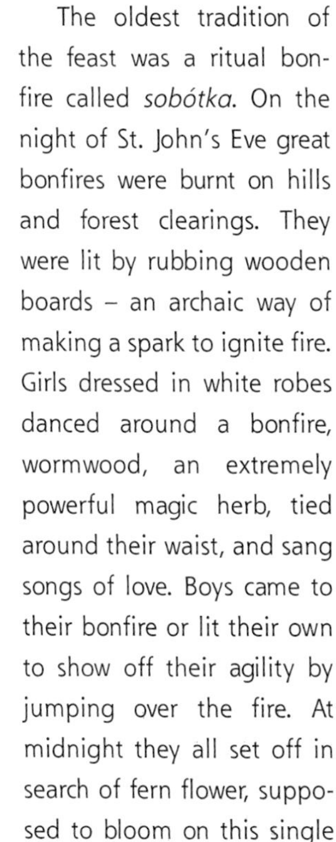

■ In folk tradition it was a great festival for greeting summer, celebrated during the summer solstice on the shortest night, from 23 to 24 June, and the longest day, 24 June. The Church assigned Saint John the Baptist as its patron saint and all traditions and customs of the holiday now bear his name.

The oldest tradition of the feast was a ritual bonfire called *sobótka*. On the night of St. John's Eve great bonfires were burnt on hills and forest clearings. They were lit by rubbing wooden boards – an archaic way of making a spark to ignite fire. Girls dressed in white robes danced around a bonfire, wormwood, an extremely powerful magic herb, tied around their waist, and sang songs of love. Boys came to their bonfire or lit their own to show off their agility by jumping over the fire. At midnight they all set off in search of fern flower, supposed to bloom on this single night in the whole year. Its unearthly glow would show them the way to some treasure hidden deep underground and whoever found it would have all wisdoms of the world revealed to him as well as wealth and happiness. Not only fern flower (which blooms only in fairy tales), but also other plants played an important role in St. John's Night celebrations. People believed that wormwood, its akin absinthium,

zielem świętojańskim, mięta, ruta, czarny bez, biedrzeniec, gałązki i liście leszczyny w noc św. Jana nabierają niezwykłej siły leczniczej i czarodziejskiej. Przede wszystkim bylica (pierwsze ziele czarodziejskie) miała płoszyć czarownice i odpędzać od domów wszelkie zło. Wieszano ją więc na drzwiach domów, obór, stajen, noszono zaszytą w odzieży, wrzucano w świętojańskie ogniska – przeciw czarom i urokom.

W noc świętojańską szczególnych właściwości miała nabierać woda. Mówiono, że w tę noc kwitnie i dopiero od św. Jana można bezpiecznie zażywać kąpieli. Wierzono również, że zanurzenie się w stawie, strumieniu lub rzece albo skąpanie w rosie w noc świętojańską sprawia, że ciała ludzi, zwłaszcza młodych, stają się zdrowe, czyste, piękne i powabne, gotowe do miłości, płodzenia i rodzenia. Kąpali się więc lub kładli na trawie z nocną rosą zarówno panny, jak i kawalerowie. Należało jednak zachować przy tym wielką ostrożność, bo duchy wodne mogły zapragnąć ofiary i wciągnąć ludzi w topiel.

hypericum – known as St. John's wort, peppermint, rue, black elder, anise as well as leaves and branches of common hazel develop an extraordinary healing and magic power on St.John's Night. The chief magic herb, wormwood, was thought to scare witches and any kind of evil away from homes, so it was hung on front doors of houses, cowsheds and barns, sewn into clothes and thrown to St. John's eve bonfires against charms and spells.

Water was supposed to acquire special properties on St. John's Night. They said it was "blooming" on that night and only from St. John's Day on you could bathe safely. Another common conviction was that immersing in a pond, stream o river on that very night would make the bodies of young people in particular pure and healthy, beautiful and attractive, ready to make love, conceive and give birth. Both unmarried girls and boys bathed in water or lay down on grass wet from night dew. However, they had to be cautious, for water spirits might take them into the depths as an offering.

■ *Święty Jan niesie jagód dzban. Mal. S. Stachiewicz, pocztówka*

■ *St. John Carries a Jug of Bilberries; painted by S. Stachiewicz, a card*

Najważniejszym jednak obrzędem dziewczęcym, zachowanym do naszych czasów, było *puszczanie wianków na wodę*. Dziewczęta na wydaniu wiły więc z kwiatów polnych i ogrodowych wianki (symbol ich dziewictwa). Następnie przywiązywane do deseczek, z zapaloną świeczką puszczały je w nocy na bieżącą wodę. Niekiedy jednocześnie puszczały po dwa wianki. Jeśli te szybko odpływały od brzegu i płynęły równo z prądem rzeki, a do tego jeszcze podpłynęły do siebie – były to wróżby oznaczające odwzajemnioną miłość i szybkie zamążpójście. Najbardziej upragnioną jednak wróżbą było wyłowienie wianka przez chłopca miłego sercu.

Co roku w Warszawie i Krakowie nad Wisłą i nadwiślańskich bulwarach oraz w innych miejscowościach, nad wodami, rzekami i jeziorami, pod hasłem puszczania wianków na wodę odbywają się wielkie imprezy artystyczne, koncerty, festyny, inscenizacje zabaw świętojańskich oraz pokazy ogni sztucznych.

But the most important ceremony performed by girls, which has survived to our times, was letting wreaths float on water. Girls wove wreaths from wild and garden flowers, as a symbol of their own virginity. Then they tied the wreaths to small boards and at night they launched them to a river or stream with a burning candle attached. Some of them launched two wreaths at once, watching how they floated. If they set off quickly, following the river current and keeping close to each other, mutual love and marriage at hand were indicated. The most desired prophetic sign was when a girl's wreath was picked up by the very boy she cherished in her heart.

Every year in Warsaw and Cracow on the banks of the Vistula River, and in other localities on other rivers and lakes, great festivals of wreath floating are organized, accompanied by concerts, picnics, artistic performances of St. John's Night ceremonies and games as well as firework displays.

■ *Dziewczyna wśród maków. Mal. L. Stasiak, pocztówka*

■ *A Girl and Poppy Flowers; painted by L. Stasiak, a card*

■ *Dożynki w Rudzienku koło Kołbieli. Fot. K. Chojnacki*

■ *Harvest Festival at Rudzienko near Kołbiel; photo by K. Chojnacki*

Święto plonów – dożynki
Harvest Festival

■ Od najdawniejszych czasów, żniwa i zebranie plonów, wieńczyły całoroczny trud rolniczy. Ich zakończenie było więc wielkim świętem gospodarskim. Nazywano je *wieńcowem* (od najważniejszego ich symbolu – wieńca ze zbóż i kwiatów), *okrężnem* (od starodawnego obyczaju obchodzenia, lub objeżdżania, czyli okrążania pól po zbiorach) i – najczęściej *dożynkami*. Obchodzono je w Polsce, co najmniej od XVI wieku. Właściciele wielkich majątków ziemskich, a także bogaci gospodarze zatrudniający przy żniwach robotników najemnych, urządzali je dla żniwiarzy po zebraniu plonów.

Obchody dożynkowe rozpoczynały się od wicia wieńca z ostatnich kłosów, przez jakiś czas pozostawionych na polu, aby tegoroczny urodzaj spowodował obfity plon także i w następnym roku. Te ostatnie garście i kłosy zboża zwano *brodą, pępkiem, kozą* lub *przepiórką*. Natomiast wieniec dożynkowy, mający zwykle kształt wielkiej korony lub koła, ozdobiony jabłkami, orzechami, czerwoną jarzębiną, kwiatami i wstążkami, uosabiał wszystkie zebrane płody ziemi. Dlatego nazywany bywał plonem. Niosła go na głowie lub w rękach najlepsza żniwiarka, czasami z pomocą parobków lub żeńców. Za nią szedł orszak odświętnie ubranych żniwiarzy niosących na ramionach starannie wyczyszczone i przybrane kwiatami kosy, sierpy i grabie.

■ From time immemorial, the reaping of harvest crowned the toils of year-long farming and the finishing of work in the fields was a significant rural holiday. Its names included a "wreath holiday", from the major symbol of harvest – a wreath of crops and flowers, a "detouring holiday", from the age-old custom of detouring one's fields after having collected all crops, and the most common Polish name: *dożynki*. In Poland the tradition dates back to the 16th century or even earlier. The celebration was organized by great landowners and rich farmers who hired hand labourers for harvest, for the sake of reapers when they finished their job.

The harvest ceremony began with the weaving of a harvest wreath from last ears of corn left to remain in the field for some time to make the current year's good crops be repeated in the following year. Those last sheaves of cereal plants were called a beard, hub, goat or partridge. A harvest wreath, usually in the shape of a big crown or wheel, decorated with apples, walnuts, red rowan fruit, flowers and ribbons, symbolized all the toll taken from the earth. It was itself called plon, i.e. har-vest. The wreath was carried by the best woman harvester, worn as a headpiece or in held her hands, sometimes with the help of a few farmhands or reapers. She was followed by a procession of reapers in Sunday clothes,

■ *Chleb dożynkowy*

■ *Harvest Festival bread*

Po poświęceniu wieńca w kościele orszak udawał się ze śpiewem do dworu lub domu gospodarza. Pieśni śpiewane przez idących z wieńcem żniwiarzy mówiły o ich trudzie, o plonie; ich słowami zaklinano także urodzaj w następnym roku. W całej Polsce powtarzał się w nich refren:

Plon niesiemy, plon, w gospodarza dom
Aby dobrze plonowało
Po sto korcy z ziarna dało,
Plon niesiemy plon.

Gospodarz dożynek (najczęściej dziedzic lub zamożny rolnik) z szacunkiem brał wieniec z rąk przodownicy, osobiście wnosił go do domu, ustawiał na stole i prosił przodownicę do pierwszego tańca. Potem prowadził wszystkich do ustawionych na dziedzińcu stołów i zapraszał na poczęstunek, a następnie na tańce, trwające nieraz do późnych godzin nocnych.

Wieniec dożynkowy przechowywano w sieni lub stodole, aż do następnego roku i siewu, a wykruszone z niego ziarna, na ciągłość urodzaju, wsypywano do worków z ziarnem siewnym.

Dożynki odbywają się w Polsce po dzień dzisiejszy, mają już wiele wieków tradycji, chociaż ostatnio zmieniły nieco swój charakter. Z zabawy, niegdyś urządzanej dla czeladzi i pracowników rolnych, stały się świętem całego rolniczego stanu, połączonym z festynami i kiermaszami, wystawami rolniczymi, występami zespołów artystycznych. Współczesnym dożynkom zawsze towarzyszy, jak w przeszłości, barwny pochód w strojach regionalnych, z wieńcem i chlebem upieczonym z mąki z tegorocznych zbiorów.

W ostatnich latach tradycją stały się dożynki parafialne i pielgrzymki z różnych parafii do znanych miejsc kultu religijnego, w tym także do największego sanktuarium Matki Bożej w Częstochowie.

who carried their tools: scythes, sickles and rakes, perfectly cleaned and decorated with flowers. When the wreath was blessed in church, the procession went singing to the manor house or a farmer's house. The reapers proceeding behind the wreath sang songs telling about their toil and the harvest. They also asked for good crops in the following year. The whole country sang:

Carry harvest's yield, to squire from the field.
May the harvest give its bounty
Biggest crop yields in the county,
Carry harvest's yield.
(translation from:
Polish-American Journal)

The host of the harvest, most often a landlord or a wealthy peasant, seized the wreath from the best harvester's hands and carried it himself inside the house, where he put it on a table and asked the woman to dance the first dance with him. Then he led everyone to wards tables set in the court yard and invited them to a feast and dancing, which often lasted till late at night.

The harvest wreath was stored in the vestibule or in the barn till next year's sow -ing and the grains that fell out of it were added to new grain for sowing to maintain the continuity of good crops.

The centuries old Harvest Festival is still celebrated nowadays, although its form has now changeda little. The former merrymaking arranged for servants and farm workers has been transformed into a holiday of all peasants and farmers accompanied by picnics and fairs, farm-ing exhibitions and performances of artistic ensembles. As in the past, contemporary Harvest Festival is celebrated with a colourful parade of people in regional costumes carrying a wreath and a loaf of bread baked from the current year's crops.

■ *Żniwiarka na pocztówkach S. Radziejowskiego, S. Koszelińskiego i J. Wasilewskiego*

■ *A reaper in postcards by S. Radziejowski, S. Koszelinski i J. Wasilewski*

Niekiedy dożynki odbywały się już 15 sierpnia, po pierwszym zbiorze pszenicy, w święto Wniebowzięcia Najświętszej Marii Panny. Częściej jednak bywały to dwie odrębne uroczystości.

Także w naszych czasach w święto Wniebowzięcia, zwane świętem Matki Boskiej Zielnej, do poświęcenia i w dziękczynnej ofierze dla Matki Bożej, do kościoła zanosi się bukiety z kwiatów (w sierpniu każdy kwiat woła zanieś mnie do kościoła), ziół i owoców, zwane ograbkami, równiankami, różdżkami lub kępkami. W przeszłości bukiety te przechowywano w domu przez cały rok i – w razie potrzeby – wykruszone z nich ziele stosowano w różnych domowych zabiegach leczniczych.

Dzień 15 sierpnia, po kilkudziesięcioletniej przerwie, stał sie ponownie oficjalnym świętem narodowym wojska i oręża polskiego. Obchodzony jest na pamiątkę zwycięstwa Polaków w Bitwie Warszawskiej w 1920 roku, nazywanej także „cudem nad Wisłą", stoczonej z armią sowiecką, dowodzoną przez generała Budionnego, podczas napaści bolszewików na Polskę.

In recent years, a tradition of parish harvest festival developed, as well as pilgrimages from various parishes to the renowned places of religious cult, including the greatest Sanctuary of Our Lady in Częstochowa.

Sometimes the Harvest Festival was held after the first crop of wheat on 15 August, the Assumption of the Blessed Virgin Mary Day, but normally the two feasts were celebrated separately.

In our times, on the Assumption Day, in Poland also called Our Lady of Herbs' Day, bouquets or bunches of flowers, herbs and fruit, so plentiful in August, are continued to be taken to church for a blessing and as a thanksgiving offer to Our Lady. Formerly those bouquets were kept at home for the whole year and in case of need the herbs they contained were used to naturally cure some illnesses.

After a long break of some fifty of so years, 15 August again became the official National Day of Polish Army and Weapons. It is celebrated in order to commemorate the victory of Poles over the Soviet Army under General Budyonny in the Battle of Warsaw in 1920, when the Bolsheviks attacked Poland. It is called "the miracle on the Vistula".

■ *Dożynki w Rzeczycy. Fot. K. Chojnacki*

■ *Harvest Festival at Rzeczyca; photo by K. Chojnacki*

Jesień

21 IX–20 XII

Autumn.

■ *Ilustracja „Marii" A. Malczewskiego. Rys. W. Eljasz Radzikowski*

■ *Illustration to A. Malczewski's "Maria;" drawing by W. Eljasz Radzikowski*

ŚWIĘTA PAMIĘCI ZMARŁYCH - 1 I 2 LISTOPADA
ALL SAINTS', ALL SOULS' DAY 1 AND 2 NOVEMBER

■ Nie ma takiego miejsca na ziemi, w którym by nie oddawano czci swoim zmarłym. Obowiązek pamięci o tych, którzy odeszli, liczne rytuały i ceremonie zaduszne są właściwe ludziom wszystkich czasów.

Święta pamięci zmarłych obchodzone są obecnie w terminach ustanowionych przez Kościół. Uroczystość Wszystkich Świętych (1 listopada), znanych i nieznanych męczenników i zmarłych zbawionych, wprowadzona została do liturgii Kościoła w 835 roku przez papieża Jana XI, zaś Dzień Zaduszny (2 listopada) przeszło sto lat później, w 998 roku, kiedy to opat klasztoru benedyktynów w Cluny, nakazał bractwom benedyktyńskim odprawiać msze i modły w intencji wszystkich zmarłych.

W tradycji polskiej, a zwłaszcza ludowej obydwa te święta, szczególnie dzień Wszystkich Świętych (1 listopada), mają przede wszystkim charakter zaduszny. Są więc w pewnym sensie przedłużeniem uroczystości zadusznych odprawianych przez naszych przodków, chociaż powiązano je z tradycją Kościoła. W dniu Wszystkich Świętych wszystkie polskie cmentarze odwiedzają rzesze ludzi, pobożnie nawiedzających groby swych bliskich. Na wszystkich grobach płoną znicze, na wszystkich składa się kwiaty. Obyczaj nakazuje bowiem zapalić światło i położyć kwiat lub świerkową, zieloną gałązkę, także na starych, zaniedbanych, zapomnianych grobach, których nie odwiedza już nikt bliski.

■ There is no such place on earth where people would not worship their dead ancestors. To commemorate the deceased through many rituals and ceremonies on these two days has been an obligation for people in all times.

The present dates of both days devoted to the dead have been set up by the Church. The celebration of All Saints, known and unknown, martyrs and the saved ones, on 1 November was introduced into the Church lit-urgy by Pope John XI in 835, while All Souls' Day on 2 November began more than a hundred years later in 998, when the Abbot of the Benedictine Monastery at Cluny ordered the Benedictine congregations to say the mass and prayers in the intention of all the deceased.

In Polish tradition, especially the folk one, both these holidays, All Saints' Day (1 November) in particular, are devoted to praying for the souls of the dead. In this sense they are a continuation of the ceremonies for the dead performed by our ancestors, which have been merged with the Church tradition. On All Saints' Day all Polish cemeteries are visited by great numbers of people who come to pray over the graves of their close relatives. Candles are lit on every grave and flowers are put on them. The custom requires to burn candles, lay

W całej Polsce wierzono, że w nocy z 1 na 2 listopada, cienie zmarłych idą z cmentarza do kościoła na nocne nabożeństwo, które celebruje dla nich duch zmarłego proboszcza.

W te dni hojnie rozdawano jałmużnę żebrakom (dziadom kościelnym) modlącym się pod kościołem i murem cmentarza, wierząc, że postać dziada może przybrać zmarły antenat. Jeszcze na początku XX wieku w wigilię Zaduszek (1 listopada) pieczono chleby, gotowano bób i kaszę, a na wschodnich terenach – kutię (potrawę żałobną) i wszystko to wraz z wódką pozostawiano na noc na stole dla gości z zaświatów.

Palono wielkie ognie na cmentarzach i rozstajnych drogach, zwłaszcza na grobach samobójców (niegdyś grzebanych poza cmentarzem).

Dzisiaj wszystkie te praktyki i ofiary zastąpiły nabożeństwa kościelne i modły, zwłaszcza cmentarne wypominki – jak nazywa się modlitwy za zmarłych przywoływanych po nazwiskach, świece i kwiaty. Ale zarówno dawne, jak i obecne, kościelne obchody zaduszne łączy te sama

flowers or evergreen branches also on old, unattended-to and forgotten graves, visited by no one.

It was believed in Poland that on the night from 1 to 2 November shadows of the dead walk from cemetery to church to the night service celebrated for them by the ghost of the dead provost.

On those days church beggars who prayed under the church and churchyard wall were given lavish hand-outs, for it was thought a deceased ancestor might take the shape of a beggar. Till the early 20th century on All Saints'eve bread was baked, broad beans were cooked an in the eastern territories a funeral dish called *kutia* was prepared. All that along with vodka was left on the table for the night for the guests from other world.

On cemeteries and at the crossroads great fires were lit, especially on the graves of those who committed suicide, once buried outside cemeteries.

Today all these practices and offerings have been replaced by church services and prayers, "callings" by name

■ *W Dzień Zaduszny. Rys. J. Konopackiego, „Tygodnik Ilustrowany", 1884 r.*

■ *All Soul's Day; drawing by J. Konopacki, in the "Tygodnik Ilustrowany," 1884*

of the dead in whose intention the prayers are made, candles and flowers. However, the old and the present ceremonies to the dead souls have one motivation in common: they express lasting memory of all the deceased as well as gratitude and respect for them on the part of the living.

All Saints' Day and All Souls' Day are also days of national remembrance. Candles burn on the Tomb of Unknown Soldier, graves of insurgents, at military quarters of cemeteries, on countless anonymous soldiers' graves all over fields and forests in Poland, on execution sites and commemorative tablets to soldiers killed at the fronts of all wars as well as on graves of civilians executed during those wars.

Candles burn also on graves of people of special merits for Poland and its culture. In all these sites of martyrdom and national memories guards of honour are set up.

They signify not only the imperishable memory but also the conviction that not everything dies in us.

intencja, ten sam motyw: wyrażają nieprzemijającą pamięć o wszystkich zmarłych i okazywaną im przez żywych wdzięczność i szacunek.

Dzień Wszystkich Świętych i Dzień Zaduszny, są w Polsce również dniami pamięci narodowej. Znicze płoną na Grobie Nieznanego Żołnierza, na grobach powstańczych, w cmentarnych kwaterach wojskowych, na bezimiennych, tak licznych w Polsce, polnych i leśnych mogiłach żołnierskich, na miejscach straceń i tablicach pamiątkowych poświęconych zarówno pamięci żołnierzy poległych na frontach wszystkich wojen, jak i osób cywilnych straconych podczas wojny.

Znicze płoną również na grobach ludzi szczególnie zasłużonych dla Polski i jej kultury.

We wszystkich tych miejscach – martyrologii i narodowej pamięci – zaciągane są warty honorowe.

Są to znaki nie tylko nieprzemijającej pamięci, ale także wiary, że nie wszystko w nas umiera.

- *Jeden z cmentarzy na Podlasiu. Fot. K. Chojnacki*
- *Dzień Zaduszny. Rys. E. Perle, „Kłosy"*

- *A cemetery in the Podlasie region; photo by K. Chojnacki*
- *All Soul's Day; drawing by E. Perle in the "Kłosy"*

■ *Zwyczaj trąbienia na rozpoczęcie adwentu. Fot. P. Szacki*

■ *Trumpeting for the beginning of Advent; photo by P. Szacki*

ADWENT – POCZĄTEK OK. 30 LISTOPADA

ADVENT – BEGINING AROUND 30 NOVEMBER

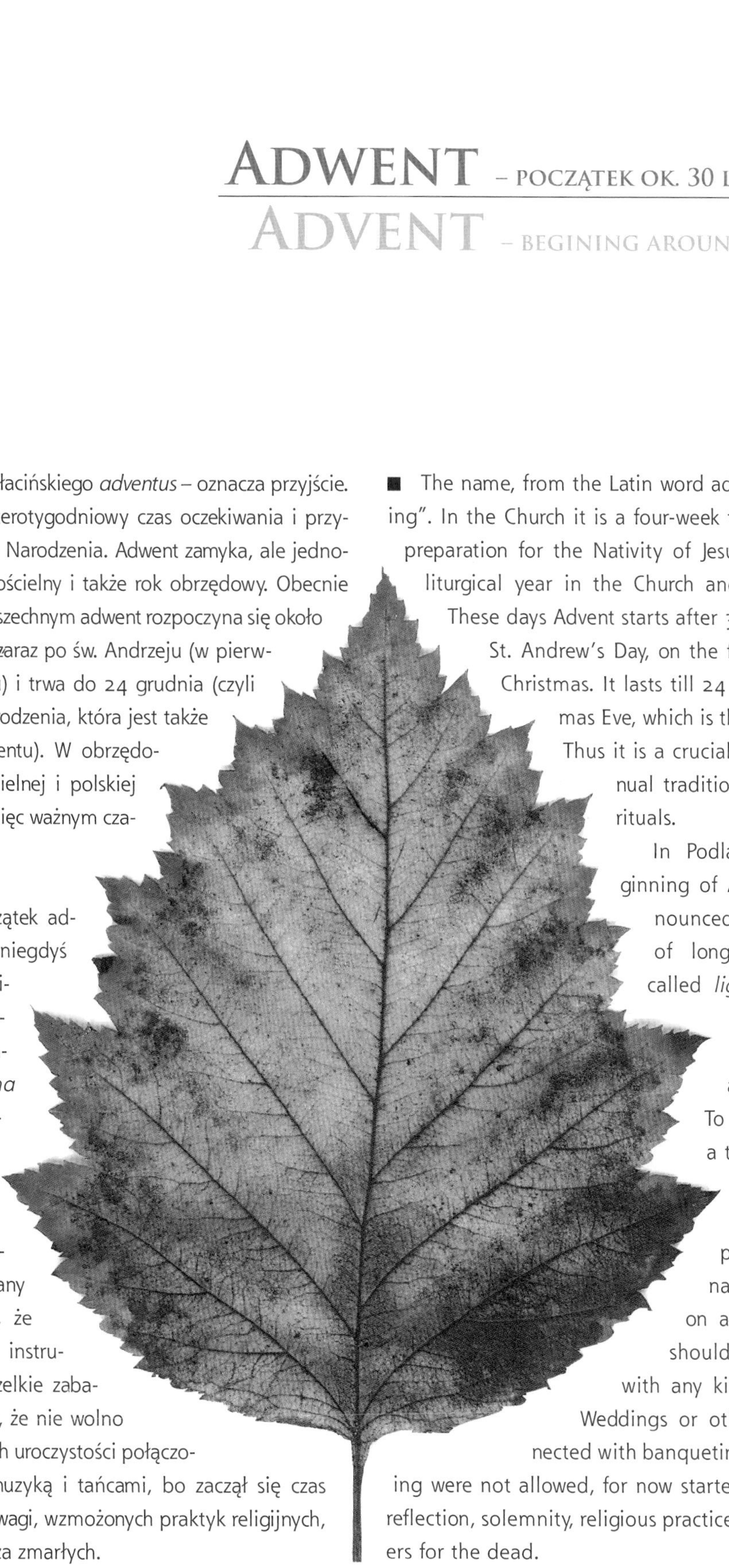

■ Adwent – z języka łacińskiego *adventus* – oznacza przyjście. W Kościele jest to czterotygodniowy czas oczekiwania i przygotowania do Bożego Narodzenia. Adwent zamyka, ale jednocześnie otwiera rok kościelny i także rok obrzędowy. Obecnie w całym Kościele powszechnym adwent rozpoczyna się około 30 listopada, zwykle zaraz po św. Andrzeju (w pierwszą niedzielę adwentu) i trwa do 24 grudnia (czyli do Wigilii Bożego Narodzenia, która jest także ostatnim dniem adwentu). W obrzędowości dorocznej, kościelnej i polskiej tradycji ludowej jest więc ważnym czasem przełomu.

Na Podlasiu początek adwentu obwieszczało niegdyś głośne trąbienie na ligawach (długich, drewnianych trąbach), nazywane *trąbieniem na adwent* lub *ogłaszaniem adwentu*. Dla lepszego efektu trąbiący stawał przy studni, aby echo potęgowało wygrywany sygnał. Był to znak, że powinny zamilknąć instrumenty muzyczne, wszelkie zabawy i głośna wesołość, że nie wolno urządzać wesel i innych uroczystości połączonych z biesiadami, muzyką i tańcami, bo zaczął się czas pobożnej zadumy, powagi, wzmożonych praktyk religijnych, a zwłaszcza modlitw za zmarłych.

■ The name, from the Latin word adventus, means "coming". In the Church it is a four-week time of awaiting and preparation for the Nativity of Jesus. Advent closes the liturgical year in the Church and opens a new one. These days Advent starts after 30 November, around St. Andrew's Day, on the fourth Sunday before Christmas. It lasts till 24 December, or Christmas Eve, which is the last day of Advent. Thus it is a crucial period in Polish annual tradition of church and folk rituals.

In Podlasie region the beginning of Advent was once announced by the loud sound of long wooden trumpets called *ligawy*. The ceremony was called trumpeting for Advent or announcing Advent. To intensify the effect a trumpeter stood over a well, so that the echo amplified the played tune, which signalled that from now on all music instruments should disappear along with any kind of merrymaking. Weddings or other ceremonies connected with banqueting, singing and dancing were not allowed, for now started the time for pious reflection, solemnity, religious practice and especially prayers for the dead.

■ „Psotnik góralski". Mal. S. Saski, pocztówka, 1938 r.
■ „Prządki", „Kłosy", 1873 r.

■ "A Highland Prankster;" painted by S. Saski, a card, 1938
■ "Spinners;" in the "Kłosy," 1873

W całej Polsce powszechnym obyczajem adwentowym, praktykowanym do naszych czasów, jest udział w codziennej mszy św. – jutrzni ku czci Najświętszej Marii Panny, zwanej *roratami* (od pierwszych słów pieśni błagalnej o przyjście Zbawiciela świata: rorate coeli desuper – spuście nam rosę niebiosa). Podczas mszy na ołtarzu pali się wielka świeca roratnica – symbolizująca Matkę Boską, a wierni przychodzą, na nabożeństwo ze światłem: ze świecami tzw. roratkami lub z lampionami.

W przeszłości na wsi adwent i długie jesienne wieczory, były czasem spotkań sąsiadek przy wspólnie wykonywanej pracy, najczęściej przy darciu pierza, przędzeniu lnu i wełny na wrzecionach i kołowrotkach, przebieraniu fasoli lub grochu i innych podobnych zajęciach oraz opowiadaniu sobie nowin i różnych historii.

The common Advent custom in Poland, still widely practiced today, is everyday participation in the early morning mass for the Holy Virgin Mary, known as *roraty* (from the first word of a song imploring for the coming of the Saviour of the world: *rorate coeli desuper* – let the heaven send down dew to us). During the mass a huge *roratnica* candle is burning, as a symbol of Our Lady, while the faithful come to the service with their own burning candles or lanterns.

In villages of the past, long autumn evenings of Advent were the time of female neighbours' meetings doing some work together, such as tear-ing feathers, spinning linen and wool with spindles or spinning wheels, sorting beans and peas and other similar occupations, at the same time chatting on current news ant telling stories.

■ *„Zapasy zimowe". Rys. W. Podkowiński „Tygodnik Ilustrowany, 1885 r.*

■ *"Reserves for winter;" drawing by W. Podkowiński in the "Tygodnik Ilustrowany," 1885*

W noc św. Andrzeja. Rys. M.E. Andriolli, Z. Gloger. „Rok polski w życiu, tradycji i pieśni", 1908 r.

On St. Andrew's Night; drawing by M.E. Andriolli, in Z. Gloger's "The Polish Year in Life, Tradition and Song," 1908

ANDRZEJKI - 29 listopada, wieczór wróżb miłosnych
ST. ANDREW'S EVE - 29 November, Love Divination Night

■ Już od kilkuset lat w całej Polsce w wigilię św. Andrzeja dziewczęta wróżą sobie o miłości i małżeństwie. Dawny ten zwyczaj, opisywany w XVI wieku (np. przez kronikarza Marcina Bielskiego w sztuce *Justyn i Konstancja* z 1577 roku), tak samo jak i wieczór wróżb dziewczęcych, po dzień dzisiejszy nazywamy *andrzejkami*.

Znane w całej Polsce przysłowia powiadają:

Noc Andrzeja świętego
– przywiedzienarzeczonego
Na świętego Andrzeja
– pannom z wróżby nadzieja

Niezliczone więc były wróżby andrzejkowe. Wielką wagę przywiązywano do snów. W tę noc mógł się we śnie ukazać ukochany, zwłaszcza jeśli pod prześcieradło włożyło się sztukę męskiej garderoby.

Rano, zaraz po przebudzeniu, dziewczyny losowały karteczki z imionami męskimi, włożonymi wieczorem pod poduszkę, aby dowiedzieć się, jakie imię będzie nosił przyszły mąż.

We wróżbach dziewczęcych pomocne bywały różne przedmioty, np:

– kołki w płocie, szczeble drabiny, stopnie schodów, szczapy drewna na opał przyniesione do domu itp.; dziewczęta liczyły je, a gdy ich było „do pary", wierzyły, że w ciągu roku wyjdą za mąż, stworzą parę małżeńską;

■ For several hundred years now girls in Poland have foretold their future as regards love and marriage on St. Andrew's Eve. The ancient custom of girls' divination night was described by the chronicler Marcin Bielski in his 16th-century play entitled *Justyn and Konstancja* (1577), where it was called as it still is today: *andrzejki*.

The well-known Polish proverbs say:

St. Andrew's night brings you
a fiancé.
What St. Andrew foretells:
high hopes for girls

St. Andrew's divination had multiple forms. Dreams were attached a great importance to. A dream dreamt that night might show your beloved, especially if a male garment was put under your sheet.

First thing in the morn-ing, girls drew lots of male names on pieces of paper put under their pillow the previous evening to get to know their future husband's name.

Various object were used as divination accessories, for instance:

– pales in a fence, rungs of a ladder, steps of stairs, chips of wood brought to the house as fuel, etc. Girls counted them

■ *Wróżby andrzejkowe. Rys. J. Ryszkiewicz, „Kłosy", 1883 r.*

■ *St. Andrew's Night Divination; drawing by J. Ryszkiewicz in the "Kłosy," 1883*

– buciki zdejmowane z lewej nogi, które dziewczęta obecne na spotkaniu andrzejkowym, przekładały w kierunku drzwi; właścicielka buta, który pierwszy dotknął („doszedł") do progu, mogła spodziewać się szybkiego zamążpójścia;

– różne przedmioty, losowane podczas spotkania ukryte pod miskami lub talerzami: pierścionek lub wstążka z czepka – wróżyły małżeństwo; zielony listek ruty – pozostanie w panieńskim stanie, co najmniej przez rok; książeczka do nabożeństwa lub różaniec – stan zakonny, zaś laleczka – nieślubne dziecko.

W wielu wróżbach pomocne były zwierzęta. Dziewczyny robiły dla nich specjalne przynęty: kulki chleba z tłuszczem,

and if the number was even, they believed they would get married, i.e. make a couple in the coming year;

– left-foot shoes taken off by all girls gathered at a St. Andrew's Night meeting were put one by one on the floor proceeding towards the door; the owner of the one which first touched the threshold might expect to get married very soon;

– various objects hidden under a bowl or plate and drawn out by lot were treated as omens. A ring or a ribbon from a bonnet prophesied marriage, a green rue leaf – staying in unmarried state for at least one more year, a prayer book or prayer beads – becoming a nun, whereas a doll – an illegitimate baby.

Wigilia św. Andrzeja. Rys. J. Ryszkiewicz, „Kłosy", 1883 r.

St. Andrew's Eve; drawing by J. Ryszkiewicz in the "Kłosy," 1883

kawałki mięsa, kiełbasy, garście ziarna i kładły je pod swymi nogami, po czym wpuszczano do izby psa, kota lub koguta i obserwowano w jakiej kolejności zwierzę zjada przygotowane smakołyki, bo w tej kolejności wróżące sobie panny miały wychodzić za mąż.

Najbardziej jednak znaną i najczęściej stosowaną wróżbą było lanie na wodę wosku lub ciekłego ołowiu, a następnie wspólne badanie i objaśnianie kształtu zastygłej w zimnej wodzie masy lub jej cienia rzucanego na oświetloną ścianę.

Wosk i ołów przez całe wieki były używane we wróżbach i praktykach magicznych. Nic więc dziwnego, że substancje te były również używane we wróżbach dziewcząt. Zaś fantazja i usilne pragnienie poznania przyszłości sprawiały, iż dziewczyny dopatrywały się w odlanych kształtach np. sylwetki ukochanego, akcesoriów związanych z jego zawodem itp.

Tradycje wrób andrzejkowych przetrwały do naszych czasów, chociaż nie traktuje się ich z dawną powagą. Są obecnie wesołą zabawą młodzieży, dziewcząt i chłopców. Jest to nowy obyczaj i „znak czasów". Dawniej chłopcy nigdy nie bywali dopuszczani do dziewczęcych spotkań i wróżb andrzejkowych. Mieli natomiast własny swój wieczór wróżb o miłości i małżeństwie, zwany *katarzynkami*, ponieważ odbywał się 24 listopada, w wigilię św. Katarzyny. Chłopięce katarzynki, zaniknęły jednak już na początku XX wieku.

Animals were also a help in divinations. Girls made special baits for them, like bread and fat balls, pieces of meat or sausage, handfuls of grain, which they placed at their own feet. Then a dog, cat or cock were let in the room and everybody watched the order in which the baits were eaten by the animal. In that order the girls taking part in fortune-telling would get married.

The best known and most frequently performed form of divination, however, was pouring molten wax or lead to cold water. When it solidified into a hard mass, the shape of it or of its shadow cast on the wall was examined and interpreted together.

Wax and lead have been used in divination and other magical practices for centuries. No wonder they were also adopted to girls' fortune-telling. Their imagination and strong desire to learn about their future made them see the wax shape as the figure of their beloved, some attributes of his profession and the like.

Although they are not treated as seriously nowadays as they were formerly, St. Andrew's Night divinations have been preserved as a tradition turned into a funny game of young girls and boys. It is a novelty, a mark of the time, for in the past boys were never allowed to take part in girls' meetings and St. Andrew's Night divinations. They had their own evening of fortune-telling in matters of love and marriage on 24 November, the eve of St. Catherine's Day. But this tradition disappeared in the early 20th century.

■ *„Andrzejki". Mal. M. Orłowska-Gabryś, pocztówka, 1964 r.*

■ *"Andrzejki;" painted by M. Orłowska-Gabryś, a card, 1964*

■ *Obchody Mikołajów Beskidzkich w Jaworzynce. Fot. K. Chojnacki*

■ *The Beskidy St. Nicholases' rounds at Jaworzynka; photo by K. Chojnacki*

OBCHODY ŚW. MIKOŁAJA, MIKOŁAJKI – 6 GRUDNIA
ST. NICHOLAS' DAY – 6 DECEMBER

■ Św. Mikołaj, patron dnia 6 grudnia, legendarny biskup Myru (Miry) w Azji Mniejszej, żyjący prawdopodobnie na przełomie III i IV wieku dobry, hojny i przyjazny ludziom, patron notariuszy, flisaków, żeglarzy, architektów, panien na wydaniu i pasterzy, opiekun trzód, łaskawy nawet dla wilków i domowych myszy, w polskiej tradycji jest przede wszystkim przyjacielem i dobrodziejem dzieci. Wszystkie dzieci, które są posłuszne i nie zapominają o pacierzu, obdarza łakociami i różnymi prezentami, dla niegrzecznych zaś i niepobożnych ma – ku przestrodze – malowane, a więc niezbyt groźne rózgi.

■ Saint Nicholas, best known in English as Santa Claus, was the legendary Bishop of Myra in Asia Minor, living most probably at the turn of the 3rd and 4th centuries. He was generous and friendly to people and is now considered a patron saint of notaries, raftsmen, sailors, architects, unmarried girls and shepherds, a guardian of herds, a friend even of wolves and house mice. In Polish tradition he is most of all a friend and benefactor of children. All children who are obedient and do not forget about a daily prayer receive sweets and gifts from him, while for those who are naughty and not pious enough he has a painted rod, just to warn them.

■ *Święty Mikołaj w asyście diabła, pocztówka, 1906 r.*

■ *St. Nicholas accompanied by Devil; a card, 1906*

Znają go dzieci na całym świecie. Każdego roku czekają na jego przybycie i na prezenty. Wierzą, że 6 grudnia św. Mikołaj włoży im je do butów, pończoch lub pod poduszkę, pozostawi przy nakryciu, a nawet wręczy je osobiście. Ten ostatni zwyczaj obchodzenia domów przez przebranego św. Mikołaja i wręczania upominków grzecznym dzieciom, znany był w Polsce już w XIX wieku, najpierw na Śląsku, w Małopolsce i na Mazurach, a z czasem rozprzestrzenił się na całą Polskę.

W obecnych czasach w całej Polsce odbywają się zabawy dzieci i młodzieży zwane *mikołajkami*, połączone z wręczaniem sobie prezentów. W tym dniu otrzymują drobne upominki i łakocie także od swych rodziców, krewnych i opiekunów.

Postać św. Mikołaja i legenda o nim związały się także z obchodami świątecznymi Bożego Narodzenia, a zwłaszcza z dniem wigilijnym. Zgodnie z legendą, w Wigilię o zmierzchu św. Mikołaj przybywa na ziemie, przynosi prezenty wszystkim dzieciom i ukradkiem kładzie je pod choinką.

Przed Bożym Narodzeniem dzieci z całego świata, także dzieci polskie, piszą listy do św. Mikołaja, adresując je do różnych miejsc na Ziemi i kosmosie: do Laponii, Szwecji, na biegun północny, koło polarne, na Grenlandię, albo „Na chmurkę" „Do nieba", „Do św. Mikołaja w Niebie" itp. Wierzą

He is known to children all the world over. Every year they wait for his coming with presents. They believe Saint Nicholas would put them into their shoes, stockings or under the pillow; he may leave them by their plate on the table or even hand them in person. The latter custom of a dressed-up St. Nicholas going from house to house and handing gifts to good children became popular in Poland as early as the 19th century. First came to Silesia, Little Poland and Mazuria, and later it spread to the whole country.

Today in Poland parties for children and youth called *mikołajki* are commonly organized, on which occasion kids are given small presents. Children also get presents along with sweets from their parents, guardians and other family members.

The figure of St. Nicholas and his legend are also linked with Christmas traditions, Christmas Eve in particular, when he visits all Polish homes at dusk and leaves his gifts unnoticed under a Christmas tree.

Long before Christmas children from the whole world, Polish children included, start writing letters to St. Nicholas. They put various addresses on them, in the Earth or the Universe: Lapland, Sweden, the North Pole, Arctic Circle, Greenland, or "To a Cloud", "To the Sky", "To St. Nicolas in Heaven". They are deeply convinced

■ *Obchody Mikołajów Beskidzkich w Jaworzynce. Fot. K. Chojnacki*

■ *The Beskidy St. Nicholases' rounds at Jaworzynka; photo by K. Chojnacki*

przy tym głęboko, że wszystkie listy docierają do św. Mikołaja i że spełnione zostaną zawarte w nich prośby.

Ostatnio coraz częściej dzieci wysyłają te listy do fińskiej wioski, która w 1985 roku została oficjalnie ogłoszona ziemią św. Mikołaja: Joulumas, Santa Claus Post Office, Article Circle, 96-930 Rovanieni.

Św. Mikołaj naszych czasów spogląda z reklam i witryn sklepowych, z opakowań na prezenty i kartek świątecznych, spaceruje ulicami miast, pozuje do fotografii z dziećmi, częstuje je słodyczami w cukierniach i sklepach z zabawkami.

Nie zmieniła się natomiast ta sama od lat niezwykła dobroć św. Mikołaja oraz jego posłannictwo, aby rozdawać dary, czynić dobro i uszczęśliwiać przede wszystkim dzieci, ale i dorosłych, przynosząc im każdego roku nie tylko prezenty, ale także wielką świąteczną tajemnicę, prowadząc ich w świat niezwykłych przeżyć i wspomnień.

all those letters reach St. Nicholas and all their wishes contained in them would be fulfilled.

In recent time children more and more often send their letters to the Finnish village which was officially designated as St. Nicholas's (Santa Claus's) land in 1985. The address is: Joulumas, Santa Claus Post Office, Article Circle, 96-930 Rovanieni.

St. Nicholas of our time looks upon us from billboards and shop windows, wrapping paper for Christmas presents and Christmas cards; he walks along city streets, takes pictures with children, at confectioneries and toyshops he gives them sweets.

One thing remains unchanged: St. Nicholas's unusual kindness and his mission to distribute gifts, do good things and make both children and adults happy. He not only brings them presents every year, but also leads them to the world of unusual experience and good memories.

■ *Obchody Mikołajów Beskidzkich w Jaworzynce. Fot. K. Chojnacki*

■ *The Beskidy St. Nicholases' rounds at Jaworzynka; photo by K. Chojnacki*

Spis treści

Contents

Opracowanie graficzne / Graphic design

Agnieszka Ściborek

Tłumaczenie / Translation

Elżbieta Kowalewska

Dobór materiału ilustracyjnego / Illustration selection

Barbara Ogrodowska

Redakcja / Editor

Urszula Lewandowska

Zdjęcia / Photographs

Mieczysław Bancerowski, Krzysztof Chojnacki, Isabela i Tomasz Kaczyńscy, Tomasz Kłosowski, Janusz Leśniak, Grzegorz Micuła, Alicja Mironiuk-Nikolska, Piotr Szacki, Piotr Szczepański

Ilustracje / Illustrations

Jacek Tofil

Korekta / Proofreading

Krystyna Wysocka

Bogaty zbiór pocztówek udostępniła nam Krystyna Bartosik.
Eksponaty oraz archiwalia pochodzą ze zbiorów Państwowego Muzeum Etnograficznego w Warszawie.

A rich collection of postcards has been made available to us by Krystyna Bartosik.
Exhibits and archive pieces come from the collections of the the National Ethnographical Museum in Warsaw.

ISBN 978-83-7495-613-0

Książkę wydrukowano na papierze
Arctic Silk 130 g/m²

www.arcticpaper.com

Sport i Trystyka – MUZA SA
00-590 Warszawa
ul. Marszałkowska 8
tel. 022 6295083, 022 6296524

Dział zamówień/Orders: 022 6286360, 022 6293201
Księgarnia internetowa/Online store: www.muza.com.pl

Warszawa 2009/Warsaw 2009
Wydanie I/First Edition

Skład i łamanie/Design & Layout:
Cogiteo, Lublin

Druk i oprawa/Printing and binding:
DRUK-INTRO S.A., Inowrocław